Petite mort
à *Venise*

De la même auteure

ROMANS
Bonheur, es-tu là ?, Libre Expression, 2011 ; collection « 10 sur 10 », 2014.
Cœur trouvé aux objets perdus, Libre Expression, 2009 ; collection « 10 sur 10 », 2012.
Maudit que le bonheur coûte cher !, Libre Expression, 2007 ; collection « 10 sur 10 », 2011.
Et si c'était ça, le bonheur ?, Libre Expression, 2005 ; collection « 10 sur 10 », 2011.

RÉCIT
Ma mère est un flamant rose, Libre Expression, 2013.

RECUEILS DE CHRONIQUES
D'autres plaisirs partagés, Libre Expression, 2003.
Plaisirs partagés, Libre Expression, 2002.

JEUNESSE
Marion et le bout du bout du monde, illustré de 21 œuvres de Marc-Aurèle de Foy Suzor-Coté, Publications du Québec, 2008.
L'Enfant dans les arbres, d'après l'œuvre de Marc-Aurèle Fortin, Éditeur officiel du Québec, 2002.
Mon père et moi, Éditions de la courte échelle, 1992.
Des graffiti à suivre, Éditions de la courte échelle, 1991.

THÉÂTRE
Dernier quatuor d'un homme sourd, en collaboration avec François Cervantes, Éditions Leméac, 1989.
Les Trois Grâces, Éditions Leméac, 1982.

FRANCINE RUEL

Petite mort à Venise

Libre Expression

Une société de Québecor Média

Catalogage avant publication de Bibliothèque et Archives nationales du Québec et
Bibliothèque et Archives Canada

Ruel, Francine, 1948-
    Petite mort à Venise
   ·   ISBN 978-2-7648-1074-3
    I. Titre.

PS8585.U49P47 2015   C843'.54   C2015-941769-4
PS9585.U49P47 2015

Édition : Marie-Eve Gélinas
Révision et correction : Marie Pigeon Labrecque et Isabelle Lalonde
Couverture et mise en pages : Clémence Beaudoin
Illustration de couverture : Maddia Esquerre
Photo de l'auteure : Julien Faugère

Cet ouvrage est une œuvre de fiction ; toute ressemblance avec des personnes ou des
faits réels n'est que pure coïncidence.

Remerciements
Nous remercions le Conseil des Arts du Canada et la Société de développement des
entreprises culturelles du Québec (SODEC) du soutien accordé à notre programme
de publication.
Gouvernement du Québec – Programme de crédit d'impôt pour l'édition de livres –
gestion SODEC.

Financé par le gouvernement du Canada | **Canadä**
Funded by the Government of Canada

Les Éditions Libre Expression
Groupe Librex inc.
Une société de Québecor Média
La Tourelle
1055, boul. René-Lévesque Est
Bureau 300
Montréal (Québec) H2L 4S5
Tél. : 514 849-5259
Téléc. : 514 849-1388
www.edlibreexpression.com

Dépôt légal – Bibliothèque et Archives nationales du Québec et Bibliothèque et Archives
Canada, 2015

ISBN : 978-2-7648-1074-3

Distribution au Canada   **Diffusion hors Canada**
Messageries ADP inc.   Interforum
2315, rue de la Province   Immeuble Paryseine
Longueuil (Québec) J4G 1G4   3, allée de la Seine
Tél. : 450 640-1234   F-94854 Ivry-sur-Seine Cedex
Sans frais : 1 800 771-3022   Tél. : 33 (0)1 49 59 10 10
www.messageries-adp.com   www.interforum.fr

Pour Maddia,
parce que c'est elle.

Pour Maxou,
le chat roux qui m'a accompagnée,
de si belle façon,
durant tous mes jours d'écriture.

« La beauté et l'intérêt de la vie ne résident
pas dans les réponses que l'on obtient,
mais dans notre quête pour les obtenir. »
Susan Sarandon

« Ils viennent à Venise
et la plaignent comme une ville qui s'éteint,
lorsque c'est le contraire qui est vrai ;
c'est le reste du monde qui se termine,
tandis qu'eux sont saufs ; pour aujourd'hui. »
Adriano Sofri

PROLOGUE

La femme était assise sur le banc et ne bougeait pas. Elle était prostrée, le corps lourd, penché vers l'avant, les épaules tombantes, le regard fixe. Même en la côtoyant de plus près, on aurait à peine perçu le mouvement de sa respiration qui soulevait son dos. C'était comme si elle retenait son souffle. En fait, elle n'en avait plus. Ou si peu. Elle sentait qu'elle était arrivée au bout de ce qui l'avait maintenue en vie durant toutes ces années.

Elle était assise depuis un certain temps dans cet abribus de la rue Saint-Laurent. Masse informe, inerte presque. Lorsqu'elle était sortie de l'hôpital, elle avait marché au hasard des rues. Puis elle avait vu l'abri de verre et s'était laissée tomber sur le banc. Quelques personnes avaient fait comme elle, certains avec des paquets ou accompagnés d'enfants, des écoliers turbulents avec des sacs à dos encombrants, le temps d'attendre leur bus. Personne ne s'était vraiment approché d'elle, d'abord parce qu'elle était installée en plein milieu du banc, son corps occupant presque tout l'espace, mais surtout parce qu'il se dégageait d'elle un mélange d'odeurs d'éther, de désinfectant, de maladie. L'autobus 55 s'était garé le long du trottoir et ils étaient montés à bord. Mais pas Mathilde. Elle était incapable de bouger, ses jambes refusant de la porter, ses pieds de l'emmener ailleurs.

Au cours de l'heure qui avait suivi, trois conducteurs successifs avaient tenté de l'interpeller, mais devant son silence obstiné, ils avaient fini par l'ignorer. Il y avait tellement d'individus bizarres dans cette ville. Une folle de plus ou de moins ! Après avoir actionné la manette pour refermer les portes, ils avaient repris leur trajet en l'oubliant aussitôt. Il y avait eu au moins six autobus qui étaient passés à cet arrêt sans que Mathilde ait le courage de bouger. Sa vie s'était arrêtée et elle ne voyait pas comment elle pourrait la reprendre. Lucille venait de mourir. Mathilde avait laissé le personnel infirmier s'occuper du corps de sa mère, était sortie de l'hôpital pour chercher un peu d'air avant d'étouffer complètement, avait trouvé cet abri qui ne protégeait de rien en fait, avec dans sa tête le dernier souffle de sa mère qui prenait toute la place. Non pas un soupir ou un simple murmure avant de partir, mais une plainte. Un cri atroce qui retentissait encore en elle, qui ne disparaîtrait peut-être jamais.

1

Mathilde avait fini par monter à bord de l'autobus qui l'avait ramenée chez elle. Elle était arrivée devant son immeuble, et l'effort qu'elle avait dû déployer pour gravir chaque marche qui la menait à son appartement du troisième étage l'avait laissée épuisée devant sa porte. Elle était en nage. Elle avait levé la main pour appuyer sur la sonnette, tant elle était désorientée. Elle avait finalement récupéré ses esprits et son trousseau de clés. En tournant la clé dans la serrure, les gestes du quotidien s'étaient enchaînés. Comme à son habitude, Kaïa s'était mise à japper et à sauter derrière la porte dès qu'elle avait reconnu la présence de sa maîtresse. Mathilde fut accueillie avec joie par la petite bête blanche et affectueuse. Elle ne fut pas surprise de trouver une flaque sur le plancher de l'entrée. Après tout, elle avait été partie de longues heures. Sans même enlever son manteau, Mathilde se précipita vers la cuisine à la recherche d'essuie-tout pour nettoyer le dégât. Puis, dans une série de gestes mécaniques, elle avait donné les soins qu'elle prodiguait d'habitude à sa chienne.

Lorsque la bête fut rassurée et caressée, Mathilde, toujours vêtue de son manteau, s'assit sur le sofa du salon. C'est à ce moment seulement que les larmes commencèrent à couler. Puis de gros sanglots sonores firent leur apparition. Elle ne pouvait plus s'arrêter. Elle hoquetait, essuyait son visage de gestes rageurs de la main. Elle avait les joues en feu et avait l'impression qu'un tsunami sans fin avait envahi sa poitrine, la submergeant complètement en se déchaînant en elle. Les coups de tête répétés de Kaïa afin d'obtenir son attention n'eurent aucun effet. Mathilde laissait enfin exploser son chagrin. Elle se sentait nauséeuse. Comme si, debout sur le bord d'un précipice, elle avait à choisir, à cet instant précis, entre se laisser tomber vers l'avant ou bien trouver l'énergie pour faire quelques pas vers l'arrière pour ne plus sentir cet appel du vide. Elle se retrouvait, pour la première fois de sa vie, devant rien. Un manque absolu.

Une angoisse terrible l'assaillit. Elle réalisa qu'elle ne connaissait rien de la suite des choses. Qu'est-ce qui pouvait lui arriver maintenant que sa mère n'était plus?

Elle resta longtemps dans cette position. Kaïa, comprenant que sa maîtresse n'était pas disponible pour le moment, s'était allongée le long de la cuisse de Mathilde, et soupirait doucement. Puis la noirceur dans la pièce et la trop grande chaleur que lui procurait son manteau obligèrent Mathilde à bouger.

Une pensée lui traversa soudainement l'esprit. Il fallait qu'elle prévienne sa sœur. Elle se dévêtit, rangea son manteau dans le placard et, d'un pas lourd, se dirigea vers sa chambre. Kaïa, qui avait senti que sa maîtresse reprenait vie, trottinait sur ses talons. En passant devant la salle de bain, d'un geste machinal, Mathilde récupéra sur le crochet un pyjama défraîchi par les nombreux lavages, mais qui avait le don de l'envelopper, de la calmer et dans lequel elle se sentait protégée du brouhaha extérieur lorsqu'elle rentrait du travail. Une fois dans sa chambre, elle s'assit sur le lit et caressa sa compagne poilue.

— Est-ce que tu crois que Martine va être rentrée du travail? demanda-t-elle à Kaïa, qui la fixait.

Pour toute réponse, la petite bête tourna en rond sur l'édredon rouge. Mathilde s'octroya le temps d'une longue inspiration avant de composer le numéro de Martine.

Une voix cassante et pressée lui répondit.

— Allo.

— Martine, c'est moi.

— Qu'est-ce qu'il y a?

— …

— Fais ça vite, Mathilde, les enfants terminent leurs devoirs et j'ai le souper à préparer.

— … Martine, maman est morte.

— Quoi?

— Oui. En début d'après-midi. Elle est…

— Comment ça, en début d'après-midi? la coupa brusquement sa sœur. Il est sept heures moins vingt! Pourquoi tu m'as pas appelée avant?

Mathilde eut envie de lui dire que de toute façon elle n'aurait pas répondu à son bureau et encore moins sur son cellulaire. La consigne avait toujours été très claire : « Que j'en voie pas un me déranger. Je travaille, moi! »

Elle prit le temps de formuler sa réponse.

— Je… je ne voulais pas laisser un message sur ta boîte vocale.

— Ça fait au moins une heure que je suis à la maison!

Suivit un long monologue qu'il aurait été impossible d'interrompre.

— Je ne suis jamais tenue au courant de rien. On ne peut rien dire à Martine. Martine est une petite chose qu'il faut protéger. Martine ne pourra pas supporter. Il faut tenir Martine à l'écart de tout. C'est ça que tu fais, Mathilde. Mathilde est forte, elle! Mathilde qui prend tout sur elle, Mathilde qui organise tout pour les autres. Tu me fais chier, Mathilde! Maman est morte et tu me l'apprends quatre heures plus tard. C'est normal ça, hein? Trouves-tu que c'est normal?

Aucun chagrin dans la voix, aucun étonnement, que de la colère. Mathilde s'avoua vaincue.

— J'étais pas capable de parler, réussit-elle à prononcer.

La suite fut marmonnée dans le récepteur, mais Mathilde la saisit. Sa sœur avait dit : « Pas capable, comme d'habitude! »

Depuis l'enfance et tout au long de leur vie adulte, l'histoire des deux sœurs avait été constituée de routes parallèles. Il y avait rarement eu de rencontres à un croisement. Pourtant Mathilde avait toujours pris soin de Martine, comme elle l'avait fait pour leur mère durant sa trop longue maladie. Elle aimait sa cadette, l'admirait, la protégeait. Encore maintenant, elle était prête à excuser les emportements de Martine, même si sa sœur était de plus en plus cassante avec le temps. Martine était dynamique, volontaire, et donnait l'impression qu'elle savait où elle allait dans la vie. Tout le contraire de son aînée. Des deux filles, la dernière était le chouchou de leur mère, qui ne cachait pas sa préférence. Si Martine ne venait pas la voir, c'est qu'elle n'en avait pas le temps. Si Martine agissait comme elle le faisait, c'est qu'elle avait de lourdes responsabilités, elle. Et Mathilde avait fini par adopter cette ligne de pensée. L'aînée des Fitzgibbons s'était toujours demandé pourquoi leur mère avait choisi pour sa sœur un prénom si semblable au sien. La réponse qui lui était venue et à laquelle elle croyait dur comme fer était que leur mère avait eu envie de réussir ce qu'elle n'avait pas su accomplir avec la première. Durant leur enfance, Martine était tellement plus jolie, tellement plus vive, tellement plus câline que sa sœur aînée. Elle mettait tout le monde dans sa poche et chacun était attiré par son charme. C'est en vieillissant qu'elle s'était durcie. Sa « petite poule d'eau », comme

Mathilde avait coutume d'appeler sa sœur parce que ses larmes jaillissaient à la moindre contrariété, s'était construit, au fil des années, une carapace de plus en plus rigide. De petite poule elle était passée à tortue. À l'image de leur mère.

Leur père, Noël Fitzgibbons, un homme plutôt effacé, aimait beaucoup Mathilde, elle le savait, mais à distance. Elle se souvenait de peu de moments de proximité. Dans ces instants de bonheur annoncé, sa mère multipliait les demandes à chacun d'entre eux, histoire de les séparer. Mathilde se demandait souvent pourquoi sa mère agissait ainsi. Une maman jalouse de sa fille, c'était possible, ça? Cela avait fait en sorte que Noël ne s'était approché que rarement de son aînée, même s'il la portait dans son cœur. Il l'aimait par intervalles. Il faut dire que, dans l'environnement immédiat de Lucille, il était difficile à quiconque de prendre une place. Elle habitait tout l'espace matériel et sonore. Ainsi, jusqu'à sa mort survenue trop tôt, leur père avait été un homme doux et silencieux. Un faible, disait Lucille. Un papa formidable, aurait dit Mathilde si on lui en avait laissé l'occasion. Un passionné discret.

Martine finit par demander des détails sur les derniers instants de leur mère. Mathilde lui raconta tout. La douleur jusqu'à la fin, le corps tordu et le cri terrible qui était sorti de la bouche de Lucille au moment de rendre l'âme. Martine avait visité sa mère plus d'une semaine auparavant. «Moi, les hôpitaux, je ne suis pas capable, avait-elle décrété avec une moue écœurée. Et puis, il n'est pas question que les enfants voient leur grand-mère dans cet état!»

Comme Lucille avait passé plusieurs années de sa vie malade, Martine et ses enfants ne l'avaient que très peu fréquentée.

Mathilde avait vu sa mère, elle. Sous toutes les coutures. Elle l'avait visitée tous les jours durant son hospitalisation, de même que lors de son séjour en maison pour personnes âgées; elle avait écouté ses colères à répétition, répondu à ses exigences de plus en plus nombreuses, soigné son corps ravagé par la longue maladie. Elle l'avait lavée avec soin et beaucoup de douceur, même si Lucille ne se laissait jamais aller à la moindre forme de tendresse ou de reconnaissance envers sa fille. Et à travers tout cela, Lucille ne parlait que de Martine. Martine qui faisait si bien les choses – mais qui ne venait jamais la voir, ajoutait tout bas Mathilde; Martine qui savait si bien s'occuper de son mari et de ses enfants – mais qui négligeait sa mère; Martine qui prenait le temps, Martine qui... Martine. Jamais le nom de Mathilde n'était prononcé par cette mère pourtant choyée, secondée, aimée par son aînée.

— Laisse-moi digérer la nouvelle. J'en parle avec François lorsqu'il rentrera du travail, je l'annonce aux enfants, puis je te rappelle pour qu'on organise la suite.

— Tu ne veux pas aller la voir? suggéra Mathilde. À l'hôpital, ils m'ont dit...

— Non, la coupa aussitôt Martine. J'aime mieux garder un souvenir agréable de maman. Et je suis sûre que tu as fait ce qu'il fallait. Tu fais toujours ce qu'il faut.

Lorsqu'elle eut raccroché, Mathilde essaya en vain de trouver un souvenir agréable auquel s'accrocher, elle aussi. Tout ce qu'elle avait en tête, c'était ce cri atroce, échappé par sa mère au moment de mourir et qu'elle n'arriverait peut-être jamais à faire taire.

2

Durant les jours qui suivirent, Mathilde se réfugia
dans le sommeil. Un petit cachet, avalé de jour
comme de soir, l'aidait à sombrer plus rapidement.
Il n'y avait que Kaïa pour la tirer du lit ou du divan
où elle s'échouait, en réclamant à hauts cris ses
promenades quotidiennes. Mathilde grignotait
un bout de pain, avalait une soupe et retournait
se coucher. Elle avait prévenu son employeur du
décès de sa mère, et son patron avait été des plus
compréhensifs. Elle n'avait qu'à prendre le temps
nécessaire pour se remettre de cette épreuve ; ils
trouveraient facilement quelqu'un pour la remplacer. Une bonne hygiéniste dentaire, ce n'était
pas ça qui manquait dans le milieu. Le Dr Turcotte
s'était repris aussitôt ; ce n'était pas tout à fait ce
qu'il avait voulu dire. Mathilde Fitzgibbons était
en quelque sorte irremplaçable. Une personne
aussi dévouée, attentive à ses patients et compé-
tente, ça ne courait pas les rues. La formule avait
été lancée sans ménagement. Il s'en voulait. On ne
sait jamais quoi dire dans ces moments-là. Avant
de mettre fin à l'appel, il s'était informé de la date

de l'enterrement et l'avait assurée que l'équipe du cabinet serait présente. Puis Mathilde, épuisée par cet effort, était retournée s'allonger. Certains jours, la peine la submergeait. Elle enfouissait alors son visage dans le poil de Kaïa, qui prêtait son pelage à sa maîtresse et servait d'éponge à son immense chagrin.

Les appels incessants de sa sœur finirent par venir à bout de sa léthargie. Il fallait préparer la suite. Martine poussait Mathilde à agir. Pour sa part, tout comme l'hôpital, le salon funéraire n'était pas du tout un endroit que Martine avait envie de fréquenter. Mathilde non plus, mais il fallait bien que quelqu'un s'y rende pour choisir un cercueil ou une urne. Heureusement, sa mère avait tout prévu. Surtout pas d'exposition. « Pour qu'ils viennent voir ce que je suis devenue ? avait-elle coutume de répéter à son aînée. Un vieux débris qui tombe en morceaux ? Jamais en cent ans. Je ne leur ferai pas cette joie ! Une urne, un enterrement tout simple. De toute façon, qui est-ce qui va venir me voir quand je serai morte ? Personne ne le fait de mon vivant ! Y a jamais personne qui vient vérifier si je suis encore vivante. Personne. » Mathilde n'osait pas répliquer qu'elle était là, elle. Tout le temps. Elle avait aménagé son horaire pour faire en sorte d'être présente au réveil de sa mère et à son repas du soir. Elle restait avec elle dans la soirée jusqu'à son coucher, et ce, plusieurs soirs par semaine, ainsi qu'une grande partie de la journée le dimanche. Sans oublier les appels que Mathilde lui passait les jours peu nombreux où elle ne pouvait se rendre auprès d'elle. Depuis que sa mère avait été hospitalisée à la suite d'une mauvaise chute, Mathilde se rendait à l'hôpital trois fois par jour. Mais ce n'était jamais suffisant. Jamais. À peine avait-elle quitté la résidence que Lucille se ruait sur le téléphone et lui laissait des messages, tous plus méchants les uns que les autres. Lorsque Mathilde rentrait chez elle, sa boîte vocale débordait de haine. Sa mère la remplissait de ses colères et de ses frustrations et réclamait toujours plus de présence, plus d'attention. Non parce qu'on la négligeait, le personnel étant tout à fait diligent, et encore moins pour s'enquérir de la vie de sa fille aînée. Il lui fallait tout simplement une oreille attentive où déverser sa grande déception de la vie. Sa vie de merde, comme elle disait tout le temps. Sa vie gâchée auprès de son mari, ce bon à rien sans ambitions. Lucille n'avait jamais digéré que celui-ci ne soit que typographe. « Un métier salissant ! » Elle aurait préféré n'importe quoi d'autre. Elle serrait les dents lorsqu'elle évoquait son retour à la maison avec ses mains tachées d'encre. Et cette odeur ! Insupportable ! Pourtant, c'étaient les moments que Mathilde préférait de son enfance. Le retour de son papa. Elle se collait à ses habits de travail et retrouvait ce parfum d'encre qui l'enveloppait et la rassurait. Elle adorait lorsqu'il lui expliquait la complexité de son travail, les différents procédés de composition et d'impression, l'utilisation minutieuse des caractères et des formes en relief. Elle ne se fatiguait pas d'entendre l'histoire de Gutenberg.

« À croire que c'est son patron, ce Gutin… machin, ironisait Lucille. Il passe plus de temps avec cet inconnu qu'avec moi ! » Cette dernière tolérait difficilement que son mari s'occupe de sa fille et refusait catégoriquement qu'il raconte, avec le même plaisir renouvelé, sa passion pour la typographie. « Ben oui, ben oui ! On a compris, Noël, criait-elle alors sans se déplacer de son lit. On est pas débiles ! » Elle mordait dans chaque mot avec une bouche tordue de dédain. « On aligne les caractères à l'envers, de gauche à droite. On le sait, on le sait. Change de disque ! Viens replacer mes oreillers, à la place de radoter, pis me frictionner, j'ai encore mon point dans le dos. » L'échange entre Mathilde et son papa s'écourtait toujours de la sorte. La fabuleuse histoire de l'impression des lettres et des mots prenait le chemin du silence. Son père soupirait, mais se rendait néanmoins auprès de sa femme exigeante. Il caressait la tête de Mathilde, lui faisait un sourire contrit en lui promettant d'en reparler. Il semblait tout aussi peiné qu'elle de cette désertion obligatoire.

— Maman est fatiguée, il ne faut pas lui en vouloir. Les lettres peuvent attendre. On va y revenir, ma puce.

Grâce à lui, la petite fille avait développé une façon toute particulière de lire. Bien sûr, elle parcourait les lettres, les mots, puis plus tard les phrases, à l'aide de ses yeux, mais elle lisait aussi avec ses doigts. Elle caressait chaque lettre, chaque blanc, chaque signe, un peu comme si elle tentait de retrouver, par ce geste, la passion qu'avait son père pour l'imprimerie. Encore aujourd'hui, elle touchait systématiquement, en lisant, les lignes noircies sur le papier.

Durant son enfance, Mathilde s'évadait souvent dans les livres. Par goût des histoires qu'elle découvrait et qui lui permettaient de voyager, mais surtout pour ne plus entendre sa mère, perpétuellement allongée, se plaindre de tout. De son mari d'abord, puis de sa vie de merde, de sa fille-ingrate-qui-préfère-lire-plutôt-que-de-lui-tenir-compagnie.

Noël Fitzgibbons n'avait pas eu le temps de goûter aux nouvelles technologies employées dans les années quatre-vingt. Il les avait quittées rapidement, emporté par une foudroyante crise cardiaque. Il était à peine âgé de trente-sept ans. Mathilde avait été dévastée. Lucille, elle, ne l'avait pas pleuré. Elle avait plutôt hurlé contre cet égoïste qui les avait abandonnées sans rien, elle et ses deux filles. À onze ans, en plus de devenir la mère de sa mère, Mathilde s'était donné comme mission de protéger sa petite sœur alors âgée de quatre ans. De son père aimant, elle avait appris les mots qui informent, qui divertissent, qui font du bien ; de sa mère, ceux qu'on lance comme des roches, en visant bien pour être certain d'atteindre et de blesser cruellement sa cible.

3

Le plus difficile pour Mathilde était le silence
permanent. Elle l'avait pourtant si souvent sou-
haité ! Enfant, elle se bouchait les oreilles avec
les mains pour ne plus rien entendre, chantait à
tue-tête pour enterrer la peur. Adulte, ne pouvant
plus agir ainsi, elle endurait, ravalait sa colère,
l'enfouissait très loin pour l'oublier. Maintenant,
autour d'elle, il n'y avait plus de cris en continuité,
plus de paroles acerbes ; mots durs déchiquetés
entre les dents avant d'être recrachés, pareils à
la lave d'un volcan. Le torrent de violence avait
fait place au vide total. Dans ce nouvel environnement sonore, Mathilde se sentait désorientée.
Elle se surprenait à monter le son de la télévision,
à manipuler de façon brusque les casseroles et
les ustensiles qu'elle rangeait, les meubles qu'elle
déplaçait, elle laissait Kaïa japper plus qu'à son
habitude ; elle faisait en sorte de remplir le silence.

Il fallut bientôt retourner à la maison pour personnes âgées où sa mère avait résidé. Toujours
pas question que Martine l'accompagne. « Ça sent
le vieux, là-dedans. Ça sent la mort. » Mathilde

trouvait que sa jeune sœur exagérait. L'endroit qu'elle avait choisi pour loger leur mère lorsqu'il avait été nécessaire de le faire était tout à fait convenable ; bien mieux que d'autres qu'elle avait visités. Et elle en avait vu des dizaines. Auparavant, Lucille avait habité, pendant plusieurs années, un bel appartement très lumineux, dans une tour à logements sur Côte-des-Neiges. Le confort, les nombreux services, l'environnement près du mont Royal, la lumière abondante n'apportaient rien de plus à leur mère qui préférait tirer les rideaux et s'enfermer à double tour dans le noir. Elle vivait sa vie en victime et passait, comme elle l'avait toujours fait, d'un état dépressif à un autre. Puis il y avait eu cette mauvaise chute. Cette hanche fragilisée qui n'arrivait pas à guérir. Et la décision avait été prise, suggérée par Mathilde et finalement appuyée par sa sœur. Leur mère serait beaucoup mieux dans une résidence pour personnes autonomes et semi-autonomes offrant tous les services essentiels : médecins, infirmières, dentistes, pharmacie. Lucille avait logé dans un studio agréable et facile d'accès. Ça n'était pas très grand, mais c'était propre et ensoleillé ; la seule chose qui avait d'abord dérangé Mathilde était l'impossibilité de cuisiner ; seuls le micro-ondes et la bouilloire électrique étaient permis. « Trop dangereux pour le feu », lui avaient dit les préposées. Lucille devait descendre à la salle à manger commune pour prendre ses repas. Mathilde y avait vu l'occasion pour sa mère de rencontrer des gens. Mais celle-ci, prétextant toujours un malaise quelconque, s'arrangeait pour qu'on lui livre ses repas à l'appartement et les réchauffait. « Pas question que je voie ces faces de morts, disait-elle. Y a juste des vieux, ici. » Mathilde faisait donc la cuisine toutes les semaines pour que sa mère s'alimente adéquatement. Heureusement, le réfrigérateur comprenait un congélateur de grande dimension qu'elle remplissait régulièrement de plats qu'elle préparait. L'appartement possédait un balcon, et Mathilde avait incité sa mère à s'y installer les jours de beau temps. Devant l'obstination de cette dernière à rester cloîtrée chez elle, elle avait fini par renoncer.

Ce jour-là, Mathilde entra dans le hall où se trouvaient l'accueil et plusieurs salons mis à la disposition des résidents. Certains jouaient aux cartes, d'autres regardaient la télévision ou lisaient les journaux. Elle croisa quelques membres du personnel de l'établissement. Ces derniers, au courant de la mort de sa mère, furent très chaleureux avec elle.

— Si on peut faire quoi que ce soit, ne vous gênez pas, lui dit Nicole, la préposée à l'accueil. On sait combien vous étiez proche de votre maman…

— Merci. Je suis juste venue chercher des vêtements pour l'enterrement, répondit Mathilde. Je reviendrai plus tard pour régler les formalités et vider l'appartement.

Nicole mit sa main sur la sienne, la rassurant. L'appartement était loué pour six mois encore, il n'y avait rien qui pressait. Elle demandait seulement que Mathilde l'avertisse quand elle serait prête à le libérer définitivement.

— Vous savez que la liste d'attente est longue pour ce genre de studio. On a beau y mettre toute la volonté du monde, il y a encore tellement de personnes âgées qui n'arrivent pas à se loger convenablement !

Et elle ajouta avant de quitter Mathilde que tout le monde n'avait pas de fille aussi dévouée qu'elle.

— Votre maman était chanceuse.

Mathilde lui fit un petit sourire avant de se diriger vers les ascenseurs. À l'intérieur, elle rencontra un vieux monsieur complètement courbé sur sa marchette, une femme dans un fauteuil roulant poussé par un préposé et une dame qui demandait à chaque étage si elle était rendue. Depuis le temps qu'elle venait dans cet établissement, Mathilde avait pourtant l'habitude de croiser ce genre de pensionnaires, mais ce jour-là, elle les voyait sous un nouvel angle. Perdus, handicapés, cassés par la vieillesse. De plus en plus triste et obligée d'admettre que Martine n'avait pas entièrement tort – la vieillesse avait bien une odeur –, elle fut soulagée d'arriver à l'étage de l'appartement de sa mère.

En entrant dans le studio, elle constata un relent de renfermé. Les pièces étaient restées sans aération depuis trop longtemps. Elle ouvrit une fenêtre et la porte du balcon afin d'éliminer rapidement l'humidité. Tout était comme figé dans le temps. Ça faisait déjà plus de quinze jours qu'elle n'était pas venue. Elle alluma une lampe, replaça un livre qui était de guingois et, pendant un long moment, ne sut que faire.

Avant même de franchir la porte de chez sa mère, elle avait coutume de s'armer de bonne humeur et tentait de la conserver tout au long de sa visite – elle avait terriblement peur que cette grisaille intérieure reste collée à elle – puis, pour être certaine de la chasser, elle s'activait. Elle classait dans le réfrigérateur les denrées qu'elle avait apportées à sa mère, l'entendait dire que ces biscuits-là n'étaient pas les meilleurs et que les fleurs n'avaient tenu que quelques jours.

— Je ne sais pas où tu les prends, mais ils ne vivent pas longtemps, tes bouquets.

Elle faisait un peu de rangement tout en répondant aux multiples demandes de sa mère. Du courrier urgent, la couette du lit à apporter chez le nettoyeur, une liste d'achats très détaillée. Puis il y avait, une fois de plus, à reprogrammer les postes de télévision parce que Lucille avait fait n'importe quoi avec la télécommande. Et bien sûr, il fallait écouter toutes ses doléances.

Mais ce jour-là, il n'y avait rien à faire. Il n'y aurait plus rien à faire dans cet appartement, à part le vider, vendre les meubles, les objets, et garder quelques souvenirs. Et puis ce serait tout. Il ne resterait plus rien de sa mère, ou si peu. « C'est ça, une vie ? pensa-t-elle. Des objets qu'on amasse ? » Elle se secoua et se rendit dans la chambre à la recherche d'un vêtement approprié pour la circonstance. Ce qu'elle y trouva, ou plutôt ce qu'elle n'y trouva pas, la renversa. Où étaient passés tous les habits qu'elle avait offerts à sa mère ? Vêtements qu'elle ne portait que rarement, puisque Lucille passait sa vie au lit. « Pourquoi s'habiller ? disait-elle à sa fille, et surtout, pour qui ? » Mathilde ne relevait pas la remarque désobligeante et continuait d'offrir de jolies tenues à sa mère. Mais ce qu'elle trouva dans la garde-robe tenait à peu de chose. Des robes de nuit en coton, d'autres en flanelle, des robes de chambre en tissu éponge ou en laine, élimées, usées à la corde. Une jupe et un pantalon beaucoup trop grands – sa mère n'avait jamais été très enveloppée, mais avait perdu énormément de poids ces dernières années – et deux chemisiers qui ne payaient pas de mine. Elle réalisa que sa mère avait passé l'essentiel de sa vie en tenue de nuit. Découragée, Mathilde se tourna vers le lit pour y déposer les vêtements.

C'est alors qu'elle la vit. Toute menue, lumineuse. Elle agitait ses mains pour s'excuser d'être entrée dans l'appartement.

— La porte était ouverte, j'ai pensé…

— Vous avez bien fait, Paméla, la rassura Mathilde.

La dame, quoique frêle, avait un corps énergique. Elle était coquettement vêtue d'un pantalon gris et d'une chemise blanche. Un petit foulard rouge noué autour du cou venait compléter son ensemble. Des vêtements des années soixante, mais qui avaient eu le temps de revenir à la mode. Elle aurait pu avoir des allures de Lauren Bacall si elle n'avait pas été si menue. Rayonnante avec sa coupe de cheveux au carré, d'un blanc argenté chatoyant, elle s'approcha pour embrasser Mathilde.

— J'ai su pour votre maman. Je suis désolée... tellement désolée.

— C'est peut-être mieux comme ça. Elle était fatiguée de vivre, je pense.

— Vous allez pouvoir vous occuper de vous, maintenant.

— Vous allez bien, Paméla? enchaîna aussitôt Mathilde.

— *Non troppo male*, comme diraient les Italiens. Autant que faire se peut.

Elle la regarda en souriant.

— Mathilde, vous ne voudriez pas m'appeler Poppy, comme tout le monde?

— Vous avez raison, Poppy. Je vais essayer.

Mathilde avait croisé à plusieurs reprises cette dame charmante depuis l'arrivée de sa mère dans la résidence. Elles étaient voisines de palier, et Mathilde avait tout de suite sympathisé avec elle. Paméla était plus jeune que Lucille ; elle était même trop jeune pour résider dans ce genre d'appartement. Elle s'y était installée en compagnie de Jennifer, sa sœur aînée. Cette dernière, atteinte d'un lupus sévère, ne pouvait plus habiter seule, car elle avait constamment besoin de soins, et comme Paméla n'avait pas les compétences pour l'aider, le choix de lieu de résidence s'était imposé. Paméla, qui n'avait ni mari, ni enfants et ne se voyait pas vivre sans sa sœur, avait accepté de se retrouver, beaucoup trop tôt, dans un foyer pour personnes âgées. Elle avait maintenant soixante-quinze ans, mais ne les faisait pas. Quand sa sœur était décédée, quelques années auparavant, elle avait décidé de rester sur place. Elle avait pris la chose avec philosophie. «De toute façon, mon tour s'en vient, alors pourquoi tout chambouler pour revenir, dans peu de temps, à la case finale?» se disait-elle.

Chaque fois que Mathilde l'avait croisée, elle avait trouvé qu'il y avait dans ses yeux quelque chose d'enfantin, qui ne disparaîtrait sans doute jamais. Une employée de la résidence avait parlé à Mathilde de son parcours tout à fait singulier. Paméla s'était intéressée à beaucoup de choses, elle avait voyagé un peu partout. Spécialiste en art italien à la retraite, on lui demandait, jusqu'à tout récemment, de donner des conférences à travers le monde. Elle sortait, allait au théâtre, au cinéma, visitait les musées et les expositions. Elle avait été très active.

— Vous savez, elle se laisse beaucoup aller, lui avait dit un jour la préposée à l'accueil. Depuis la mort de sa sœur. C'est dommage. C'est une femme si cultivée, si intelligente! Maintenant, elle ne sort presque plus.

Mathilde regarda une fois de plus les vêtements qu'elle avait pris dans la penderie. Soupirant, elle les remit à leur place.

— Ce n'est pas vrai que ma mère va se retrouver en pyjama dans sa tombe ! Je vais aller acheter un ensemble.

— Est-ce que vous voulez que j'y aille avec vous ?

La question avait fusé, spontanément.

— Non… non. Je ne peux pas vous demander ça.

— Et pourquoi pas ? insista Poppy, joyeuse. Il y a une boutique pas trop chère à deux pas d'ici. On pourrait trouver quelque chose de seyant pour votre maman.

— Ça ne vous dérangerait pas ?

— Pas le moins du monde. Et puis, ça me fera une sortie.

Malicieuse, elle ajouta avec un rire dans la voix qu'elles pourraient s'arrêter prendre un thé et des gâteaux.

La perspective de chercher des vêtements pour sa mère décourageait Mathilde au plus haut point. De toute façon, elle ne voyait pas l'utilité d'habiller un corps qu'on dépose dans un cercueil pour ensuite l'emmener à la crémation. Mais il fallait habiller les morts. On leur mettait même leurs lunettes pour les exposer alors qu'ils avaient les yeux fermés. Personne, même de son vivant, ne portait de lunettes pour s'allonger ! Mathilde songea que les embaumeurs s'évertuaient également à étirer les lèvres des défunts pour leur donner un semblant de sourire. Elle esquissa elle-même un petit rictus. Avec sa mère, la chose serait mission impossible ! Ces dernières années, et presque tout au long de sa vie, il n'y avait eu que deux sens à la bouche de Lucille : tournée en permanence vers le bas, ou alors pincée ou tordue pour dire des méchancetés.

Alors, si Paméla proposait de l'aider dans sa tâche, elle était la bienvenue. Et puis elle aimait beaucoup cette dame qui lui avait toujours semblé joyeuse, contrairement aux dires de la préposée qui trouvait Paméla éteinte. Peut-être que cette dernière s'animait en présence de quelqu'un ? Au final, cette sortie leur ferait le plus grand bien à toutes les deux.

Elles trouvèrent rapidement ce qu'elles étaient venues chercher et Mathilde se laissa convaincre d'acheter un chemisier très coloré, trop épuisée pour protester. Malgré elle, sa mère aurait un dernier sursaut de gaieté pour partir. De toute façon, il n'y aurait que ses filles qui verraient ces couleurs que leur mère aurait jugées « criardes et vulgaires ». Ce geste lui fit du bien, tout comme les gâteaux ingurgités après cette séance de magasinage. Avec Poppy, elle eut l'impression de jouer à la dînette, comme elle le faisait lorsqu'elle était enfant avec Martine, avec beaucoup de rires et de miettes autour de la table. Même si ce n'était que pour un temps, elle sortit de cette rencontre avec le sourire aux lèvres et un poids de moins sur le cœur.

4

Le jour des obsèques, il pleuvait à verse. « Temps de chagrin », pensa Mathilde. « Temps de cul », aurait dit sa mère. Beau décor pour quitter la scène ! Peu de monde était réuni autour de l'urne afin de rendre un dernier hommage à cette femme qui avait tout fait pour éloigner les quelques parents et amis qu'il lui restait. Martine jouait son nouveau rôle d'orpheline à la perfection. Le noir allait si bien à son teint. Elle racontait les derniers moments de sa mère – qu'elle n'avait pas vécus – avec une précision étonnante. On y croyait. Pour sa part, Mathilde s'occupait. D'accueillir les gens, de rallumer les bougies, d'installer les fleurs. Elle veillait également au confort de ses neveux. Ils étaient tellement beaux, ces deux grands qui n'en finissaient plus de pousser ! Thomas et Grégoire, âgés de dix et treize ans, étaient des garçons bien élevés par leur mère, mais chez qui on décelait une certaine fragilité, une sorte d'inquiétude constante, qu'elle reconnaissait chez sa petite sœur. Mathilde les fréquentait peu. Martine invoquait toujours les nombreuses activités sportives et artistiques de ses fils pour refuser les invitations. Mais les garçons appréciaient Mathilde ; c'était leur « tata » gâteau. Celle qui savait offrir ce qu'on avait désiré en secret, ou que leur mère ne leur aurait jamais offert, celle qui savait arriver au bon moment, avec la chose réconfortante ou tant rêvée, celle à qui on pouvait se confier.

Elle entourait leurs épaules de ses bras, et ils venaient volontiers s'y lover. Martine, toute longue et mince, touchait rarement ses enfants. Elle les enveloppait plutôt de son regard, tantôt inquiet, tantôt sévère. Le corps enrobé et douillet de Mathilde semblait leur apporter une occasion de se laisser glisser dans le chaud et le confortable. À un moment, Thomas, en appui contre sa tante, s'écarta brusquement. Il venait de croiser l'œil insistant de sa mère lui enjoignant de se tenir droit. Mathilde avait été témoin de l'échange muet. Avec un sourire bienveillant, elle reprit son neveu contre elle, en signifiant par ce geste à sa sœur d'être un peu plus souple en une journée comme celle-ci. Cette dernière abdiqua en soupirant. Martine pensa que, décidément, sa sœur mère poule qui heureusement n'avait pas eu d'enfants ne changerait jamais. Elle avait rapidement oublié toutes les années où cette sœur couveuse lui avait épargné tant de chagrins et tant d'inquiétudes.

Mathilde racontait une blague à Grégoire lorsqu'une dame l'interpella.

— Mathilde ?

Cette dernière leva les yeux pour apercevoir devant elle une grande femme blonde, le teint et les yeux clairs, un sourire éclatant sur les lèvres.

— Anne ? Non ! Anne Brunelle !

— Eh oui, c'est moi ! *Long time no see !* T'as pas changé, toujours à t'occuper de quelqu'un.

Ç'avait été dit avec beaucoup de chaleur. Anne s'empressa d'ajouter :

— Pis viens pas me dire que moi non plus, j'ai pas changé. C'est pas vrai !

Mathilde se leva aussitôt pour embrasser son amie d'enfance. Elle se mit ensuite à parler, parler sans s'arrêter. Elle, si timide et discrète, qui laissait plutôt toute la place aux autres, était devenue prolixe, comme pour essayer de rattraper le temps perdu. Devant le comportement inusité de leur tante, ses neveux échangèrent un regard amusé. Ils saluèrent poliment la dame puis s'éloignèrent, laissant Mathilde avec elle.

— Comment tu as su ? demanda Mathilde.

— Le journal. C'est qui, ces deux-là ? Pas tes enfants ?

— Les fils de ma sœur. Tu te souviens de Martine ?

— Si je me souviens de ta fille !

— T'exagères un peu...

— Je ne pense pas. J'ai jamais vu quelqu'un s'occuper autant d'une petite sœur. Tu l'emmenais partout quand on faisait quelque chose. Tu la couvais comme un trésor. Moi, ma sœur, je faisais tout pour la semer.

Mathilde la regarda avec tendresse.

— T'es belle en blonde.

— Perruque.

— Quoi?

— C'est une perruque. Cancer du sein. Ça vous dégarnit un crâne, ça, madame! Puis ça vous ravage la poitrine. Il m'en manque un!

Pour ne pas s'étendre sur le sujet, Anne changea le cours de la conversation.

— On a eu du bon temps, hein? demanda-t-elle.

Mathilde observa son amie sans relever les propos qu'elle avait rapidement abordés puisque cette dernière ne semblait pas y tenir.

— Oui! Qu'est-ce qui est arrivé pour qu'on se perde de vue? On ne s'est jamais chicanées, pourtant…

— Je ne sais pas. Tu te souviens, je suis allée étudier aux États-Unis après mon secondaire. On s'est revues quelques fois après, puis… La vie nous a rattrapées, je pense. Je me suis mariée, chose que je n'aurais jamais dû faire…

— Moi non plus!

Elles éclatèrent d'un grand rire qui fit tourner la tête des personnes présentes. Elles se retinrent un peu et quittèrent la pièce pour aller poursuivre leur conversation sur le parvis. La pluie avait cessé. Anne en profita pour s'allumer une cigarette.

— Tu fumes? Même si…

— Oui, oui, oui. Je sais. J'essaie d'arrêter. Je ne peux pas perdre tous les plaisirs en même temps. Toi? Qu'est-ce que tu deviens?

— La routine… le travail, ma mère.

— Ça, je m'en doute.

Elles gardèrent un instant le silence, plongées dans leurs souvenirs d'adolescence.

— Te rappelles-tu quand on rentrait de l'école ? demanda Anne. Des fois, on pensait faire rapidement nos devoirs pour pouvoir aller au cinéma après…

Mathilde se souvenait parfaitement.

— Puis ta mère nous accueillait en se plaignant, comme si elle était à l'agonie.

En étirant chaque lettre, Anne imita avec exactitude la voix geignarde de la mère de Mathilde.

— « Ma-thil-de, c'est toi ? »

— Oui ! Juste au son de sa voix, on savait qu'on n'irait pas au cinéma et qu'il faudrait rester avec elle pour lui tenir compagnie.

— Et tu as fait ça jusqu'à maintenant, constata Anne en se tournant vers le complexe funéraire.

Les larmes jaillirent d'un coup des yeux de Mathilde. Anne la serra doucement dans ses bras pour la consoler de la perte de sa maman.. Mathilde pleurait surtout toutes ces années qu'elle avait consacrées à sa mère, qui n'avait pas été heureuse pour autant.

Bientôt, Anne dut repartir ; elle avait un rendez-vous chez son médecin.

— Le seul homme que je fréquente assidûment, ces temps-ci.

Après lui avoir fait la promesse de se retrouver bientôt, Mathilde regarda son amie s'éloigner et retourna à l'intérieur.

Le groupe restreint était réuni dans la galerie du columbarium devant les petites niches qui abritaient les urnes. L'une d'elles était ouverte et attendait les cendres de Lucille Francoeur-Fitzgibbons, née le 27 juin 1933 et morte le 16 septembre 2014. Un officiant parlait d'elle comme d'une mère aimante qui serait bientôt accueillie dans les bras de Marie et de Jésus, escortée par les anges. « Si Lucille se laisse faire ! » pensa Mathilde. Elle imagina la scène : sa mère qui résiste de toutes ses forces alors que deux anges tentent de l'escorter vers les portes du paradis. « Il va y avoir de la plume dans les airs ! »

L'aînée des sœurs Fitzgibbons se tenait entre Grégoire et Thomas. Les deux garçons ne montraient pas un chagrin extrême, ayant peu fréquenté leur grand-mère ; ils étaient plutôt peinés de voir leur mère dévastée. Mathilde observait également sa sœur, qui était redevenue une « petite poule d'eau ». Elle pleurait à chaudes larmes contre l'épaule de son mari. L'image de rigidité qu'elle avait peaufinée au fil des années montrait maintenant des signes de fêlures. Martine venait de craquer. Tout comme sa sœur, elle était dorénavant orpheline de père et de mère. Mathilde ressentit le besoin de tenir la main de ses neveux, pleins de vie. Ils se plièrent de bonne grâce à cette demande. Elle regarda, en toute lucidité, la petite porte se refermer pour toujours, comme un livre dont on vient de tourner la dernière page, doucement, sans faire de bruit ; et comme l'histoire était assez triste, le livre serait désormais fermé et remis à sa place, sur l'étagère de la bibliothèque, sans qu'on l'ouvre à nouveau, sans qu'on le recommande à quiconque.

Mathilde fixait la porte close, qui conserverait désormais les restes de Lucille, en espérant très fort que jamais, plus jamais, cette femme qui avait été une mère si exigeante ne viendrait réclamer son attention et qu'elle emporterait avec elle son cri de rage.

5

Dans les semaines qui suivirent, Mathilde erra, se terra, se noya. Combien de fois se prépara-t-elle pour se rendre à l'hôpital ou à la maison pour personnes âgées pour visiter sa mère? Il fallait chaque fois qu'elle remette les pendules à l'heure. C'était fini, tout ça. Ça appartenait dorénavant au passé. Sa mère était enterrée, mais Mathilde n'arrivait pas à trouver un nouveau rythme. Elle avait repris le travail, où elle affichait son sourire habituel, mais le cœur n'y était pas. Comme elle était plutôt discrète, on ne se rendait pas compte à la clinique que ça n'allait pas, qu'elle ne dormait plus, qu'elle avait un poids énorme sur la poitrine qui l'empêchait de respirer normalement. Ses gestes étaient précis, mais ses pensées étaient ailleurs. Elle était assaillie d'images dont elle n'arrivait pas à se défaire, de pensées morbides, de doutes constants. Est-ce que sa vie se résumait désormais à chercher des caries dans la bouche des gens? Était-ce tout ce qui lui restait?

Elle tentait de se rappeler ce qu'il y avait avant que sa mère prenne toute la place. Elle tentait de se persuader tout au long de la journée qu'avant c'était différent, qu'avant, il y avait plein de choses qui l'occupaient. Mais la nuit venue, les réponses à ses multiples questionnements débarquaient dans son esprit, plus solides et armées les unes que les autres. Ses arguments, bien que de bonne guerre, s'essoufflaient rapidement et succombaient devant l'ennemi. Avant, il n'y avait rien. Absolument rien. Mathilde n'arrivait pas à admettre que, toute sa vie durant, elle n'avait fait que s'occuper de tout un chacun, en s'oubliant complètement.

Ses journées s'étiraient à n'en plus finir, et elle passait ses nuits à attendre l'aube. Elle regardait la télévision sans la voir, zappant sans cesse d'une chaîne à l'autre, sans jamais arrêter son attention sur une émission. Elle ouvrait un livre, parcourait quelques chapitres, le mettait de côté, en prenait un autre, et ainsi de suite.

Un soir, elle feuilletait une revue qu'elle avait apportée de la clinique. Elle tournait les pages distraitement; il y était question de mode, de cuisine, de frasques de vedettes. Puis elle tomba sur un article qui parlait des rêves de l'enfance. Elle le parcourut en diagonale jusqu'à ce que la sonnerie du téléphone la tire de sa lecture. Anne venait aux nouvelles et voulait la revoir. Oh oui! Anne comme avant, Anne qui savait rire, Anne qui savait se moquer d'elle si gentiment. Anne aimante qui trouvait les bons mots pour la secouer. Mathilde accepta son invitation d'aller prendre un café le lendemain. Son amie, encore en convalescence, avait tout son temps.

Le jour suivant, Mathilde décida de ne pas rentrer travailler, une fois de plus. Elle choisit ses vêtements avec soin. Depuis quelques semaines, son habillement oscillait entre le pyjama et l'uniforme de la clinique. Elle se maquilla légèrement. Elle devrait bientôt acheter du cache-cernes : ses nuits sans sommeil laissaient des marques indélébiles. Pour aller au rendez-vous, elle décida de faire une longue promenade avec Kaïa. Comme il faisait encore doux, elles pourraient s'installer sur la terrasse, où les chiens sont admis. Kaïa, ravie de la proposition de sa maîtresse, sautait autour d'elle. L'air frais leur fit du bien à toutes les deux. Mathilde respirait mieux.

Lorsqu'elle s'approcha du café, elle aperçut son amie, déjà attablée à l'extérieur. Elle se dit qu'Anne était encore très belle. La jeune cinquantaine, amaigrie certes, des traits doux, des yeux vifs, une bouche souriante. Et cette drôle de perruque blonde qui cachait un crâne dont les cheveux noirs avaient été décimés par la chimiothérapie. Elles tombèrent dans les bras l'une de l'autre. Sans s'en rendre compte, Mathilde allongea le temps d'accolade. Elle en avait tant besoin ! Anne s'y prêta de bonne grâce avant de saluer comme il se doit Kaïa, qui demandait, elle aussi, un peu d'attention. Mathilde fit les présentations.

— Kaïa, mon bébé. Une chance que je l'ai ! C'est elle qui me console, ces temps-ci.

Puis elle ajouta à la blague que son chien jouait surtout le rôle d'éponge. Anne rit de bon cœur.

— Chanceuse. Moi, je n'ai pas d'animaux, quoique… Je troquerais volontiers mon fils contre un chat ou un chien aimant. J'ai bien essayé de le vendre, mais personne n'en veut.

Mathilde reconnut l'humour décapant de son amie et rigola à son tour en s'installant à la table.

Anne retrouvait sa complice des bons et des mauvais jours. Aussi ronde qu'avant, la bouche toujours aussi gourmande, et des yeux qui n'avaient rien perdu de leur éclat malgré le chagrin des derniers jours. Mathilde avait toujours su se rendre disponible pour les autres, et ça ne se démentait pas ce jour-là. Se régalant d'un café et de quelques viennoiseries, elles voguèrent entre présent et passé. Et la bonne humeur retrouva sa place, nonobstant les événements difficiles qu'elles venaient toutes deux de traverser.

— Je l'ai appelée Jo.

— Ton fils?

— Non. Ma prothèse.

Devant les yeux étonnés de Mathilde, Anne s'expliqua avec un sourire moqueur au bord des lèvres.

— En attendant la reconstruction mammaire, j'ai un coussinet de remplacement. Il s'appelle Jo.

Après avoir pris une gorgée de café, elle poursuivit.

— J'ai passé mon adolescence à me faire dire que je n'avais pas de «jos». Ça tombait sous le sens, tu ne trouves pas?

Mathilde était à nouveau séduite par cette femme qui ne faisait rien comme les autres. Elle se rappelait comment son amie ne s'était jamais empêtrée dans les formules toutes faites et dans les conventions sociales. La plus fonceuse des deux, celle qui prenait les initiatives, c'était elle. Mathilde fut, tout à coup, submergée par une grande émotion. Comment avait-elle pu se passer d'une telle amie si longtemps?

Anne posa une main sur la sienne.

— Et toi, Fitz, comment ça se passe?

Sur le point de donner le change comme à son habitude, Mathilde confia plutôt la vérité à son amie.

— Pas très bien, Anne, ma sœur Anne. Je dors mal, je mange mal.

— Finalement, tu vas mal, conclut son amie. Tu as vu un médecin?

— Pour quoi faire?

— Dormir. Passer à autre chose. Aller mieux, ça ne te tente pas?

Mathilde se pencha tout à coup vers Kaïa, qui, couchée à ses pieds, dormait sagement. Anne retrouvait l'adolescente pour qui le sort des autres était plus important que le sien.

— Ta mère est partie, Fitz. Il va falloir que tu retrouves ta vie d'avant.

À peine ces mots prononcés, Anne s'en voulut. Elle se souvint que la vie de Mathilde avait toujours tourné autour de sa mère, quand ce n'était pas autour de sa petite sœur. Et elle était persuadée qu'il n'en avait pas été autrement durant les années où elles ne s'étaient pas fréquentées.

— Tu avais une maman qui prenait beaucoup de place. Ça n'a pas dû s'améliorer avant sa mort.

— Non. Pas vraiment.

Après un long silence, Mathilde reprit le fil de la conversation.

— Est-ce que c'est ce qui nous attend?

— Quoi? demanda doucement Anne.

— Cette «vie de merde», comme disait ma mère. Une vie de frustrées amères et éternelle- ment insatisfaites? Une vie à se rendre malades de bobos imaginaires et à rendre fous d'inquié- tude nos proches?

Anne prit la main de son amie.

— Non, Fitz. Ça, c'était la vision de ta mère. Pas la tienne. On peut se sortir de tout, je pense. Bon! Il y a de gros efforts à faire. Mais on peut y arriver, j'en suis convaincue.

Fidèle à elle-même, Anne tenta de secouer son amie.

— D'abord, tu vas me faire le plaisir d'aller voir ton médecin. Il faut qu'il te prescrive des pilules pour dormir et...

— J'en ai déjà, ça ne fait plus effet.

— Quelque chose de plus fort, alors, et surtout un médicament contre l'anxiété. Je sais de quoi je parle, j'en sors à peine. Si tu as besoin de consulter, je vais te donner l'adresse de ma psy. C'est une femme formidable. Elle m'a beaucoup aidée avec mon cancer... et mon grand insignifiant.

Surprise par le sobriquet employé par Anne pour désigner son fils, Mathilde demanda des nouvelles.

— Comment je pourrais te résumer ça ?

Elle marqua une pause pour rassembler ses pensées.

— Mon fils vit dans la marge... et entre les lignes, et l'histoire qu'il est en train d'écrire risque de mal finir. J'ai essayé de le sauver jusqu'à ce que je réalise que je ne pouvais pas vivre à sa place. Ce sont ses choix, pas les miens. Avec l'aide de la psy, j'ai réalisé que moi aussi j'avais quelque chose à soigner.

Elle ajouta, tout doucement pour ne pas brusquer son amie, qu'il en était de même pour Lucille. C'était sa vie, pas celle de Mathilde. Et cette dernière n'en était pas responsable et n'avait pas à se sentir coupable de ce fiasco.

Elles restèrent un bon moment en silence à savourer leur café.

— Le corps n'est pas bête, tu sais. J'ai appris que j'avais un cancer du sein. J'ai été obligée de m'arrêter, de me questionner, de m'occuper de moi et de me guérir. Me guérir avant même de penser à guérir mon fils. Fitz, tu n'es pas obligée de te rendre jusque-là.

— Je sais, dit simplement Mathilde. Je sais.

Elles se laissèrent avec la promesse renouvelée de ne plus jamais se quitter.

De retour à la maison, Mathilde s'allongea dans un bon bain chaud moussant et reprit la lecture de l'article sur les rêves de l'enfance, qui l'intriguait : *Rien n'arrive qui n'a pas déjà été rêvé.* On y parlait des rêves qu'on avait tous eus, un jour ou l'autre : devenir riche, épouser un prince, sauver la planète, aller sur la Lune... Mais aussi des rêves plus réalistes, comme devenir pompier, avoir des enfants, réussir professionnellement, jouer du piano, parler plusieurs langues, se marier avec un gentil garçon, voyager dans des pays étrangers, vivre à la campagne... Il y était question de l'importance d'avoir des rêves et de chercher à les atteindre. Au sortir du bain, Mathilde poursuivit sa lecture, confortablement installée sur le divan du salon, Kaïa contre ses pieds. L'article mentionnait que, lorsqu'on arrête d'avoir des rêves parce qu'on s'est fait dire qu'il fallait être réaliste et devenir adulte ou parce qu'on a eu un échec et des difficultés, on grandit peut-être physiquement, mais on oublie ce que c'est de se sentir optimiste et jeune. Rêver donne également un sens à sa vie, et il vaut mieux avoir des remords que des regrets, disait-on. Mathilde resta quelques instants pensive. C'était bien beau, tout ça, mais encore fallait-il en avoir, des rêves ! Quelques citations attirèrent particulièrement son attention : « C'est la possibilité de réaliser un rêve qui rend la vie intéressante. » Cette phrase était de Paulo Coelho. Celle de Sigmund Freud la désarçonna complètement : « Le bonheur est un rêve réalisé dans l'âge adulte. »

Mathilde ne dormit que très peu cette nuit-là. Elle n'eut de cesse de fouiller sa vie à la recherche de ces rêves si importants formulés dans les années de jeunesse et qui devaient donner un sens à la vie. Elle eut beau scruter sa petite enfance, son adolescence, il n'y avait rien à l'horizon. Elle se rappelait beaucoup mieux les rêves de sa sœur, qui voulait à tout prix avoir un chien, exercer le métier d'infirmière dans un pays en difficulté, se marier et avoir des enfants. Sa mère aussi aurait voulu une autre vie. Pas de ce mari, et peut-être pas de cette fille aînée, non plus. Mathilde brassait ces idées dans tous les sens, ne trouvait pas le sommeil, retournait à répétition son oreiller comme si la fraîcheur allait lui apporter des réponses, ou du moins le repos. Mais aucun des deux ne vint.

6

Il fallut bien que Mathilde se résigne à retourner à la maison pour personnes âgées, dernier refuge de Lucille. Elle s'y rendit un samedi matin, munie de cartons et de sacs-poubelles. Qu'allait-elle faire de tout ce que possédait sa mère ? Quelques jours auparavant, elle avait laissé un message téléphonique à Martine la priant de venir choisir ce qu'elle désirait conserver en souvenir de leur mère. Si elle pouvait par la même occasion lui donner un coup de main, ça l'arrangerait. Au final, elle se débarrasserait des choses dont ni l'une ni l'autre ne voudrait.

En arrivant à la résidence, elle avertit la jeune femme à l'accueil que, si tout se passait comme elle l'espérait, l'appartement de Lucille serait libre à la fin de la semaine suivante. Elle en profita pour demander des nouvelles de Paméla. Après réflexion, la préposée réalisa qu'elle ne l'avait pas vue depuis plusieurs jours. Mathilde se dit qu'elle irait la voir avant son départ.

Ce ne fut pas une sinécure. D'abord, trier, mettre de côté, jeter. Mais surtout se rappeler.

Chaque objet ayant appartenu à leur mère faisait monter un souvenir à la surface. Pas tous agréables. Une clochette qu'elle agitait avec frénésie, certains jours d'impatience, une boîte de pilules qu'il fallait constamment remplir, le plus souvent de médicaments « placebo », un sac dit « magique » qu'on faisait chauffer au micro-ondes pour soulager ses douleurs au dos... Mathilde commença par mettre de côté tout ce qui n'était pas trop personnel et qu'elle pourrait donner : des revues, des livres, de la vaisselle, des casseroles, du linge de maison, tout ce qui était propre et pouvait encore être utile à quelqu'un. Les boîtes s'empilèrent rapidement dans le couloir.

Elle fit ensuite une liste des meubles et des appareils ménagers. Sa sœur ne voudrait sûrement pas encombrer sa maison ultramoderne de meubles défraîchis, mais peut-être que ses neveux seraient heureux d'hériter de la télévision toute neuve et du système de son pas trop obsolète. Quant à Mathilde, son petit appartement étant déjà suffisamment chargé, il lui était impossible d'y ajouter quoi que ce soit. Après avoir terminé sa liste, elle prit la décision de proposer l'ensemble du mobilier au futur locataire du studio ; s'il n'était pas preneur, elle ferait venir des déménageurs pour l'apporter à un organisme pour personnes dans le besoin.

Les sacs bleus destinés à la récupération furent vite remplis soit de papiers et de cartons, soit d'objets de plastique ou de verre, et s'entassèrent près de la porte. Pour faire un peu de place et y voir plus clair, Mathilde décida d'aller les porter immédiatement dans la chute à déchets située à l'étage. Il fallut plusieurs voyages. Puis elle retourna à l'appartement, où elle avait encore beaucoup à faire. Sur le pas de la porte, elle fut soudainement submergée par une angoisse qui lui serra la poitrine. Elle se précipita dans le couloir. Il fallait qu'elle récupère les sacs. Elle ne pouvait pas jeter la vie de sa mère de cette façon. Il ne resterait plus rien d'elle, ce serait comme si elle n'avait jamais existé. Comment pouvait-on jeter aux ordures la vie de quelqu'un?

À son grand soulagement, Mathilde aperçut deux sacs contre la chute à déchets. Elle ouvrit le panneau, sachant pourtant bien que les autres avaient déjà exécuté leur descente dans cette sorte de tube digestif en direction de la benne à ordures située au sous-sol. Elle fut étonnée de constater que l'un d'eux était resté coincé dans la trappe. Après s'être mise à genoux pour avoir une meilleure prise, contre toute logique, elle s'acharna pour le dégager, tirant de toutes ses forces pour sauver au moins celui-là. Tout à coup, le sac transparent se déchira et répandit son contenu sur le plancher du corridor. C'est à ce moment que les portes de l'ascenseur s'ouvrirent sur Martine.

— Qu'est-ce que tu fais? demanda-t-elle à sa sœur aînée.

— Le sac… le sac s'est déchiré et…

Elle éclata en sanglots. Martine se pencha vers elle.

— C'est pas grave, dit-elle. C'est juste des vieux papiers. Je vais t'aider à ramasser.

Elle déposa son sac à main par terre et entreprit d'ouvrir les deux sacs restants dans lesquels il y avait encore un peu de place. Mathilde continuait de pleurer. Martine comprit rapidement que ses larmes n'étaient pas dues qu'au dégât. Elle se dépêcha de ramasser tout ce qui traînait, enfouit les papiers destinés à la récupération dans les sacs et les referma.

— Viens.

Mathilde s'arrêta net de pleurer. Elle regarda sa petite sœur et avança sa main pour que cette dernière l'aide à se relever. Puis Martine prit les sacs et entreprit de les jeter dans la chute. Le premier glissa facilement. Lorsqu'elle voulut pousser le deuxième, il se déchira à son tour et tout le contenu se retrouva sur le tapis du corridor. Des bouteilles de verre roulèrent jusqu'à l'ascenseur, des cartons de lait et des sachets de plastique s'entassèrent à leurs pieds. Martine pesta, laissa le tout sur le plancher et poussa l'autre sac bourré à craquer, qui résista également. Les deux sœurs joignirent leurs efforts, mais le sac éclata lui aussi et se répandit sur elles et au sol.

Un rire, d'abord minuscule, puis grandissant au fur et à mesure, s'empara des femmes. Elles soulevèrent, à tour de rôle, la plaque qui recouvrait l'entrée de la chute, mais la porte se refermait dès qu'elles se penchaient pour ramasser les objets et les jeter, envoyant valdinguer les bouteilles ou les piles de papier journal. Le fou rire augmenta de plus belle et les deux sœurs ne purent bientôt plus faire un geste tant elles riaient devant l'étendue du dégât. Il y en avait partout. Elles s'essuyaient les yeux, tentaient de se calmer, mais rien n'y faisait.

— Même là, maman résiste, ne put s'empêcher de dire Mathilde.

Martine éclata d'un rire plus sonore que les précédents. L'aînée retrouvait sa cadette comme aux moments formidables de leur enfance. C'est dans l'euphorie totale qu'elles ramassèrent les objets récalcitrants et terminèrent de tout expédier en direction de la benne à récupération. Puis Martine cessa de rire d'un coup et pointa le doigt vers la trappe dans le mur.

— Qu'est-ce qu'il y a? s'inquiéta Mathilde.

— Mon sac…

— On les a tous mis dans la chute, les sacs! répliqua Mathilde que ce fou rire avait rendue très joyeuse.

— NON! hurla Martine, paniquée. Mon sac à main! On a jeté mon sac à main avec le reste!

Il y eut un moment de flottement pendant lequel Mathilde se sentit aussitôt coupable. Puis, dans un élan commun, les deux sœurs se précipitèrent vers l'ascenseur en riant encore et encore.

Le sauvetage du sac ne fut pas une mince affaire, mais elles trouvèrent au sous-sol un petit escabeau qui leur permit de se hisser à hauteur de la benne, où elles récupérèrent le sac de Martine et son contenu, intacts.

Elles remontèrent à l'étage et, en entrant dans l'appartement, Martine s'exclama :

— Décidément, avec maman, il n'y aura jamais rien eu de simple !

Pour une fois, Mathilde acquiesça et surtout ne défendit pas sa mère, mais rappela plutôt à Martine une phrase que leur père avait coutume de répéter : « Il n'y en aura pas de facile ! »

Elles se remirent au travail. Mathilde remercia sa sœur d'être venue à la rescousse.

— Tu m'as dit...

Martine chercha ses mots.

— Tu m'as dit que tu avais besoin de moi. Alors, je suis venue.

D'un geste de la main, Martine empêcha sa sœur de poursuivre sa tâche. Elle voulait que Mathilde entende pour une fois ce qu'elle avait à lui dire.

— Tu ne demandes jamais rien. Est-ce que tu t'en es rendu compte ? Tu décides ou tu prends sur toi de tout faire toute seule. Pire encore, tu présumes que je ne répondrai pas à ton appel. Alors, puisque tu as décidé pour moi, c'est ce que je fais la plupart du temps. Je déclare forfait.

Mathilde reçut ces propos comme un coup de poing au ventre. Elle ne répliqua pas parce qu'elle savait que sa sœur avait raison. Elle hocha seulement la tête pour signifier à Martine qu'elle avait compris le message.

Elles se partagèrent les bijoux de leur mère. La chose fut simple, il y en avait si peu. La cadette partit avec un service à thé en porcelaine finement ourlée, qu'elle appréciait particulièrement. Les filles l'empruntaient parfois, en cachette de leur mère, pour jouer à la dînette.

Comme l'espérait Mathilde, sa sœur accepta pour ses fils «l'héritage» de leur grand-mère, soit un téléviseur dernier cri, une chaîne stéréo et quelques disques d'un autre âge qui revenaient à la mode. Elle promit de venir les chercher avec son mari, le lendemain. Pour l'instant, Martine devait aller chercher ses fils à la sortie de leur cours de tennis, et Mathilde devait aller s'occuper de Kaïa.

— C'est vrai, tu as un chien. Et moi j'ai des enfants. Tu n'as jamais eu vraiment envie d'en avoir, non?

— Qui t'a dit ça?

La réplique avait fusé avec une telle vivacité que Martine ne fut pas dupe. Mathilde n'avait jamais rêvé d'enfants. Pourtant, jusqu'à ce jour, elle en avait eu deux: sa mère et sa sœur.

Elles ramassèrent leurs effets personnels et regardèrent une dernière fois l'appartement maintenant dépouillé de ses cadres et de ses photos, de sa décoration. L'espace était triste à voir.

— J'ai tellement peur de finir comme maman…

— Ça ne nous arrivera pas, Mathilde. On a assisté au malheur de trop près et durant trop d'années pour tomber dedans. Surtout toi.

Après avoir embrassé sa sœur, Mathilde vérifia que l'appartement était en ordre. Elle tourna la clé dans la serrure comme si elle refermait un pan de sa vie. Elle sursauta lorsqu'elle sentit une main dans son dos. Croyant qu'il s'agissait de Martine, elle lui demanda sans se retourner ce qu'elle avait oublié.

— Je viens vous dire merci, chuchota une petite voix derrière elle.

Mathilde se retourna et reconnut Poppy.

— Merci pour quoi ? Je n'ai rien fait...

— Merci pour les rires. Ça m'a fait tellement de bien !

Et comme pour s'excuser d'avoir assisté à ce magistral et tonitruant fou rire sans y avoir été conviée, elle s'expliqua.

— On entend tout à travers les cloisons. Mais c'était bon, délicieusement bon, ajouta-t-elle en savourant chaque mot comme un chocolat fondant. Ça ne m'arrive plus souvent, vous savez...

Les beaux yeux de Poppy s'embuèrent tout à coup de larmes. Mathilde tenta un geste vers la vieille dame. Cette dernière s'agrippa de toutes ses forces à son bras.

— Sortez-moi d'ici, je vous en supplie. Sortez-moi d'ici, Mathilde. Si je reste une minute de plus, je vais devenir folle. Ou pire, vieille !

7

Mathilde était repartie de la résidence ébranlée par le moment d'euphorie partagé avec sa sœur et par le geste désespéré de Poppy. Tout le long du chemin du retour, elle ne cessait de penser à ces deux incidents, et son cœur s'emballait d'un côté et se déchirait de l'autre. Elle s'étonnait encore que sa sœur soit venue l'aider – chose qui n'était pas arrivée depuis des lustres –, mais ce qui laissait surtout Mathilde sans voix, c'était la confidence que lui avait faite Martine à ce sujet.

Alors qu'elle marchait vers chez elle, les paroles de celle-ci avaient fait leur chemin en elle. Martine avait raison. Jamais elle ne lui demandait quoi que ce soit. Elle prévoyait tout, évitant à sa cadette de répondre présente. Elle avait toujours tenu pour acquis que, si sa sœur ne s'impliquait pas auprès de leur mère, elle ferait de même auprès d'elle. En fait, Mathilde réalisait qu'elle avait décidé, inconsciemment peut-être, mais décidé tout de même, il y avait plusieurs années, qu'il fallait qu'elle écarte sa jeune sœur du malheur, comme cette dernière l'avait nommé, plus tôt ce jour-là. Leur mère devenant, avec le temps, de plus en plus toxique, il fallait à tout prix qu'elle épargne cela à Martine. Et c'est ce qu'elle avait fait. Mathilde subissait déjà les foudres de leur mère, inutile qu'elles soient deux à en souffrir... Et puis aujourd'hui, alors qu'elle ne s'y attendait pas, Martine s'était présentée. Les sœurs Fitz-gibbons – les « M & M », comme avaient l'habitude de les appeler leurs camarades de classe – s'étaient retrouvées, le temps d'un fou rire jubilatoire. À partir de cet éclat de joie, les choses avaient été beaucoup moins lourdes pour Mathilde. Mais les questions qu'avait soulevées la présence de sa sœur n'en demeuraient pas moins importantes.

Une fois rentrée chez elle, Mathilde s'installa au salon avec Kaïa près d'elle et tenta de se plonger dans la lecture d'un livre qu'elle avait commencé la veille, mais ne lut pas une ligne. Elle se promena plutôt dans son enfance. Elle se revit, telle une mère louve, auprès de sa petite sœur, qu'elle avait protégée de tout, surprotégée, en fait, l'empêchant de faire ses propres choix. Elle avait fait de sa cadette une « bête sauvage » qui se méfiait de tout et de tout le monde, elle l'avait incitée à devenir une personne imperméable aux sentiments des autres. Mathilde l'avait elle-même retranchée de la vie de sa mère, et par le fait même de sa vie à elle.

« Trois p'tits chats, trois p'tits chats, trois p'tits chats, chats, chats, chapeau d'paille, paillasson, somnambule, bulletin, tintamarre, marabout... »

Comme elles l'avaient chantée à l'unisson, cette comptine ! Celle-là et tellement d'autres. En fait, elles les chuchotaient presque pour ne pas réveiller leur mère qui s'était enfin assoupie. Dans ces moments volés au temps, où aucune plainte, aucun cri de frustration, aucun appel ne venaient les déranger, les « M & M » s'installaient dans la chambre de Mathilde – c'était un cadeau pour Martine de venir dans la chambre de son aînée – et elles s'inventaient un monde en dehors de la tristesse. Elles se penchaient souvent toutes les deux sur un grand livre imagé que leur père leur avait donné et qui parlait de pays lointains, certains presque inconnus, de contrées perdues avec des noms qui donnaient envie de rire, de rêver ou de voyager. Tananarive, Tombouctou, Ouagadougou, Djibouti, Malawi, Papouasie, Bratislava, Suriname… Tellement plus exotiques qu'Ottawa ou Drummondville ! Elles répétaient ces noms, les faisant rouler dans leur bouche, comme une formule magique qui met à l'abri de tout. Pour un temps. Elles n'avaient jamais voyagé dans ces fameux pays ; le temps, le travail, les enfants les en avaient empêchées.

Mathilde se sentait totalement vide. Vide de désirs, des espoirs disparus. Elle repensa furtivement à l'article qu'elle avait parcouru et qui l'avait bouleversée, article sur ces fameux rêves qui se forment dans l'enfance et qui apportent le bonheur à l'âge adulte, si on y a donné suite. « Trois seraient l'idéal ! » disait le psychologue qui s'exprimait avec enthousiasme dans la revue. Trois !

Mathilde était loin du compte. Elle n'en avait même pas un qui valait la peine.

Elle ne se rappelait aucune envie pour elle-même. À l'intérieur d'elle, il n'y avait qu'une impression de maison vide, un néant inhabité. Contrairement à sa mère, qui était une source inépuisable de colères, de récriminations, de rages. Non pas qu'elle désirait ressentir cette haine et cette frustration, mais elle aurait aimé abriter quelque chose. Mais quoi? La question resta en suspens. Mathilde y réfléchit longuement. À la suite de ce que lui avait dit Martine, elle se demanda, ce soir-là, si elle n'avait pas établi son corps de manière à laisser, à l'intérieur d'elle, toute la place pour les autres. Elle en vint à la conclusion qu'elle n'était qu'une éponge qui absorbait, avec une facilité déconcertante, l'univers des autres. Tout pénétrait en elle. Leurs peurs, leurs colères, leurs inquiétudes. Elle laissait entrer tout ce dont ses proches avaient besoin de se décharger. Une fois qu'elle avait tout emmagasiné, il ne restait plus aucune place pour ses propres sentiments. Elle se retrouvait aux prises avec cet amalgame, ce magma informe, ne sachant quoi en faire. Elle digérait tranquillement tout ça, jusqu'à ce qu'on la remplisse à nouveau. Comme l'avait fait si habilement sa mère. Lucille qui ne l'aimait pas vraiment, qui avait surtout besoin de crier sa colère, de déverser son trop-plein de haine. Ce soir-là, Mathilde comprit qu'elle n'avait pas à considérer sa mère comme un phare, comme une boussole. Lucille l'avait toujours dirigée dans la mauvaise direction, l'empêchant de trouver ses propres repères, sa propre voie. Le petit tableau représentant une route sinueuse bordée d'arbres qu'elle avait choisi de garder en souvenir de sa mère le lui rappellerait.

Par moments, le temps d'un éclair, l'image de Poppy venait remplacer celle de sa jeune sœur riant la perte de son sac à main, et puis celle de sa mère percluse de colère comme on l'est d'arthrite. Poppy qui lui avait entré les ongles dans le bras tant sa requête était urgente. Cette dame d'un certain âge, mais tellement jeune encore, qui réclamait de l'air, de l'espace, pour ne pas mourir d'ennui. Que pouvait-elle faire pour cette Paméla qu'elle connaissait si peu ? Elle ne pouvait quand même pas la prendre sous son aile alors qu'elle venait à peine d'enterrer sa mère ! De toute façon, elle ne s'en sentait pas la force. Mathilde décida que, puisqu'elle devait retourner à la résidence le lendemain pour signer les papiers relatifs au bail, elle irait passer du temps avec Poppy. Tout en songeant au sort de cette dernière, elle chercha fébrilement dans la revue qu'elle avait feuilletée. Elle se rappelait avoir lu quelque chose qui rejoignait un peu l'appel désespéré de Paméla. Elle trouva la citation, de Douglas MacArthur : « On ne devient pas vieux pour avoir vécu un certain nombre d'années. On devient vieux parce qu'on a déserté son idéal. Les années rident la peau. Renoncer à son idéal ride l'âme. »

8

Ce jour-là, au moment où Mathilde franchissait la porte de l'appartement de Paméla Bernatchez, elle était loin de se douter que sa vie allait changer radicalement. Elle était à mille lieues de deviner que la petite bonne femme qui se tenait devant elle, ravie de sa visite, avait des vertus insoupçonnées.

Elles prirent d'abord le thé. Un plaisir renouvelé, la même sensation de joie parfaite, souvenir de son enfance. Puis, à la demande de Mathilde, Poppy raconta sa vie.

— Vous êtes sûre que vous voulez entendre ça ?

— Vous croyez que ça ne m'intéressera pas ?

— Au contraire. C'est que ça risque de prendre pas mal de temps. Et de nos jours, les gens n'ont plus le temps pour rien. Ni écouter, ni regarder, ni sentir les choses.

Mathilde la rassura.

— On a tout notre temps. Et si on n'en a pas assez, on continuera demain… Et après-demain… et à d'autres occasions, s'il le faut.

— Vous ne savez pas dans quoi vous vous embarquez ! ajouta Poppy, malicieuse.

Mathilde ne fut déstabilisée que quelques secondes par la réflexion de sa nouvelle amie. Elle était tellement charmante ; il ne pouvait en découler que de bonnes choses.

— Je veux tout savoir, l'assura-t-elle. Ça vous va comme ça ?

— Tout à fait, dit Poppy. Mais je ne serai pas la seule à parler. Vous aussi, vous allez me raconter.

« Pas tout et pas tout de suite, je suis loin d'être prête », songea Mathilde. Elles s'installèrent dans le coin salon, dans des fauteuils « club » d'une autre époque, mais superbement confortables puisque le cuir avait pris de la souplesse avec le temps. Et Poppy raconta. Mathilde reçut les épisodes de la vie de Paméla comme une histoire dont on ne veut pas voir arriver la fin tellement elle est passionnante et pleine de rebondissements.

Le temps avait passé, le thé était froid dans la théière et la noirceur avait envahi la pièce. Mais Mathilde ne voulait pas que Poppy arrête de parler. Elle se précipita donc pour allumer quelques lampes. Tout dans cette femme lui plaisait. Elle était légère, passionnée. Pour s'exprimer, elle utilisait autant les mots que ses yeux et ses mains. À un moment donné, Mathilde se fit la réflexion en souriant que Poppy, c'était le ballet *Casse-noisette* à elle seule ! Elle était tous les personnages, exécutait tous les mouvements, elle dansait sa vie avec élégance. Et quelle vie !

Née à Québec d'une mère italienne et d'un père d'origine basque, elle avait habité toute sa petite enfance sur l'avenue du Parc avec sa sœur Jennifer et son jeune frère Michaël, dans une grande maison remplie des cris et des rires des enfants. Les murs étaient tapissés de livres, et tous les jeux et espiègleries y étaient permis. Ses parents avaient tous deux entrepris des études supérieures, sa mère en littérature et son père en biologie, à l'Université Laval. Des «filles au pair» originaires d'Europe assuraient leur bien-être lorsque les parents étaient trop occupés.

À grand renfort de gestes, Poppy mimait une partie de sa joyeuse enfance. Alors qu'elle aurait pu être jalouse de ces années idylliques, Mathilde admirait plutôt la vivacité de Poppy et la chance qu'elle avait eue d'avoir des parents s'intéressant à l'évolution de leurs enfants et ayant eu des carrières stimulantes. La vieille dame s'arrêta un instant, comme si elle avait perçu la pensée de sa nouvelle amie.

— Vous savez, lui dit-elle, tout n'a pas toujours été rose. Et puis on a les parents qu'on a, pas ceux qu'on aurait voulu avoir. Je leur reprochais souvent de passer plus de temps dans leurs livres qu'avec nous.

Bientôt, la famille avait quitté Québec parce que le père faisait un doctorat, d'abord à Boston, puis à Berkeley, en Californie. Par la suite, il avait été engagé dans un grand laboratoire de recherches à Chicago. La famille Bernatchez avait ensuite passé plusieurs années à Paris, où le père enseigna à la Sorbonne. Durant tout ce temps, Paméla avait étudié les langues. Le français, bien sûr, auquel étaient venus s'ajouter l'espagnol et le polonais, à cause des nounous, puis l'anglais dans les écoles américaines et finalement l'italien, grâce à sa mère. L'Italie fascinait Paméla. Elle s'était inscrite en histoire de l'art à l'Université de Bologne, où elle avait fait une majeure sur la peinture et l'architecture vénitiennes. Puis, un grand malheur était arrivé, aussitôt suivi d'un autre.

— Mon jeune frère Michaël s'est enlevé la vie. Le plus triste, c'est qu'on n'a jamais vraiment su pourquoi; il n'a laissé aucun mot. Un chagrin d'amour? Il était très seul. Un échec scolaire? Il admirait notre père et mettait la barre très haut dans sa réussite universitaire. Une incapacité à vivre son homosexualité, ou à vivre tout court? Je l'ai toujours soupçonné d'être gai, mais il refusait d'en parler. Pourtant nos parents étaient très ouverts. Il n'y aurait eu aucun drame si ç'avait été le cas. J'aurais aimé qu'il se confie à moi, on était très proches. Je ne pouvais pas le forcer, après tout, ce secret lui appartenait. À la suite de ça, mes parents ont commencé à aller très mal. Ils se sentaient responsables, se renvoyaient la faute. Jennifer étudiait le design à Milan, et moi je poursuivais ma maîtrise à Venise. On travaillait très dur pour oublier, nous aussi. Mais comment oublier que notre jeune frère a mis fin à ses jours? Et puis, un soir que nos parents venaient nous rejoindre en Italie, leur voiture a causé un carambolage monstre. Ils sont décédés tous les deux sur le coup. Mon père buvait beaucoup depuis la mort de Micky. Une mauvaise manœuvre et…

Elle s'arrêta de parler et son regard s'éloigna dans une contrée lointaine de sa vie.

— C'est ça qui me fait le plus peur, je pense.

— Quoi, Poppy?

— Que la mort vienne me chercher sans que je la voie venir et que je me dise : « Hein ? C'est déjà fini ? » Peut être que je suis trop exigeante avec la vie, mais j'aimerais repousser ma date de péremption le plus possible, même si le contenant est un brin fatigué, ajouta-t-elle en montrant ses mains déformées par l'arthrite. Mais tant que le contenu débordera d'énergie, j'aimerais rester encore un peu ici-bas. Vous y pensez, à la fin, vous ?

Mathilde lui avoua qu'elle aussi y songeait souvent. Surtout depuis la mort de sa mère.

— Je n'ai pas peur de mourir. Ce n'est pas ce qui m'effraie le plus. C'est la façon de partir qui m'inquiète, dit-elle. J'aimerais mourir doucement, avec un grand sourire aux lèvres, parce que je serai satisfaite d'avoir accompli tout ce dont j'ai rêvé. Vous avez réalisé quelques rêves, Poppy ?

Cette dernière déclara, soudainement fébrile, qu'il y en avait eu tout plein et qu'elle espérait qu'il y en aurait encore autant.

— Sinon plus, ajouta-t-elle en riant. Je suis gourmande, hein ?

Mathilde la regarda en silence, puis les larmes commencèrent à couler sur ses joues. Elle s'excusa de se comporter de la sorte.

— Tut, tut, tut! la réprimanda Poppy avec chaleur. Qu'est-ce qu'il y a, ma petite? J'ai dit quelque chose qui vous a blessée?

Mathilde admit que le problème était qu'elle venait tout juste de réaliser qu'elle n'avait jamais rien rêvé, rien désiré pour elle.

— Il n'est pas trop tard, lui dit simplement Poppy. Il n'est jamais trop tard.

Elle se leva et s'approcha de sa nouvelle amie.

— On va les trouver ensemble, ces rêves, si vous voulez. Au mieux, on en inventera! lui lança-t-elle, enthousiaste.

Et elle battit des mains, heureuse de sa trouvaille.

Ce qui fit sourire Mathilde, à travers ses larmes.

9

Les jours qui suivirent furent les plus joyeux que
Mathilde avait connus dans les dernières années.
Elle invita tout d'abord Paméla à souper. En prévision du repas, elle se replongea dans ses livres
de recettes et lui concocta une blanquette de veau
avec des haricots verts fins et des pommes de terre
mousseline. Elle fit même une tarte aux poires
avec un coulis de chocolat pour dessert. Il fallait
voir Poppy se régaler. « Comme c'est agréable de
constater que quelqu'un se délecte de ce qu'on
a préparé », pensa Mathilde. Elle cuisinait beaucoup avant, mais en tenant uniquement compte
des goûts de sa mère ; elle lui apportait des plats
préparés et congelés – même si cette dernière
n'aimait guère sa nourriture, ni aucune autre,
d'ailleurs –, et elle en était venue à négliger son
propre penchant pour la gastronomie. C'est pourtant elle qui avait veillé au bien-être de la famille
durant cette période. Sa mère étant la plupart du
temps alitée, il fallait quelqu'un pour les nourrir
convenablement. Et elle avait toujours adoré cuisiner. Chaque étape lui plaisait : élaborer le menu,

faire les courses, puis préparer avec soin et amour un plat que les convives allaient déguster, voire réclamer. Et voilà qu'elle venait de trouver la personne idéale à inviter. Celle qui prend le temps de humer, d'apprécier chaque détail, qui mange lentement pour mieux savourer et qui, au final, en redemande.

Poppy avait apporté une bouteille de vin blanc millésimé.

— Vous êtes sûre que vous voulez qu'on l'ouvre ? demanda Mathilde qui lui était reconnaissante, mais qui se sentait quelque peu gênée.

— C'est tellement triste, une bouteille fermée, alors que si on retire son bouchon, elle se met à chanter et à enchanter ! Je ne l'emporterai sûrement pas dans la tombe, celle-là.

Comme les heures s'étaient écoulées, plus agréables les unes que les autres, Mathilde suggéra à Poppy de rester à coucher. Sa chambre d'amis, qui lui servait également de bureau et de salle de lecture, était petite certes, mais fort agréable. Elle donna à Poppy une brosse à dents et une robe de nuit que celle-ci enfila rapidement sans même cacher sa nudité à Mathilde, qui fut étonnée de son aisance. Elle prépara une théière de tisane et elles s'installèrent, l'une dans le lit et l'autre sur le fauteuil d'osier à papoter encore et encore avant de trouver le sommeil. Kaïa vint se lover près du ventre de Paméla et resta là sans bouger. Poppy était intarissable. Elle trouvait sans cesse des sujets de conversation tous intéressants. Elles en vinrent à parler des berceuses qu'on leur chantait pour les endormir. Poppy se rappelait vaguement certains chants polonais au son guttural, mais ne connaissait pas les paroles. Mathilde se mit à fredonner un air très doux, comptine qu'elle adorait et qu'elle chantait lorsqu'elle mettait sa jeune sœur au lit.

— *J'allume une étoile au pied de mon lit*
et je fais des ombres sur le mur fleuri...
Si un rêve passe en pantoufles bleues
J'éteins mon étoile et je ferme les yeux.

C'est ce que fit Poppy en moins de deux. Mathilde remonta l'édredon jusqu'à son cou et la regarda quelques instants dormir paisiblement. Kaïa ouvrit les yeux et sembla demander la permission de rester contre la chaleur de l'invitée. Pour lui signifier qu'elle l'autorisait à déserter son lit pour une nuit, Mathilde caressa la tête de son chien qui se rendormit aussitôt. Lorsqu'elle se mit au lit à son tour, Mathilde était joyeuse pour la première fois depuis longtemps.

Le lendemain et le surlendemain furent tout aussi gais. Comme c'était le week-end, ces deux jours furent consacrés à de longues promenades avec Kaïa, de petites courses pour les repas, de longues discussions animées, une séance de cinéma maison en pyjama avec un grand bol de *pop-corn* et des parties de cartes où Mathilde ne dénonçait pas les tricheries de Poppy. Kaïa semblait jouir également de ces moments où les rires fusaient pour toutes sortes de raisons. Puis lundi matin arriva trop tôt, et Mathilde alla reconduire Poppy, qui devait rentrer à la résidence. Ces vacances improvisées leur avaient fait le plus grand bien. Elles se promirent de recommencer ces journées formidables.

À l'heure du lunch, Anne, inquiète de ne pas avoir eu de nouvelles de son amie depuis quelques jours, l'appela au travail.

— Je vais beaucoup mieux, lui dit Mathilde d'entrée de jeu.

— Toi, tu as appelé ma psy. Elle est géniale, hein ?

— Euh… non. Ta psychologue l'est sûrement, mais j'ai trouvé quelqu'un qui est à la fois psy, coach de vie, amie et seconde mère.

— Et c'est qui, cette perle ?

Mathilde lui raconta sa rencontre avec Poppy, leur soirée et leur week-end fantastiques. Anne écouta jusqu'au bout et ne put faire autrement qu'intervenir.

— Fitz ! Tu ne vas pas recommencer à soigner une vieille dame ! Tu en sors à peine. Ça fait des années que tu t'occupes de tout le monde et que tu te négliges.

— C'est plutôt elle qui me soigne, répliqua Mathilde. C'est de la vitamine C en effervescence, cette femme. La joie sur deux jambes, et elle n'a besoin que de discuter avec quelqu'un, c'est tout. C'est un feu d'artifice de connaissances, de bonheur…

— C'est toi qui vois. Fais quand même gaffe. Les gens abusent facilement des grands cœurs comme toi. On prend un apéro en fin de journée ? Je n'ai pas de traitement ces jours-ci, et un petit remontant serait le bienvenu.

Mathilde déclina l'invitation. Elle aurait bien aimé, mais elle devait se rendre chez le notaire en compagnie de sa sœur pour seize heures trente et ne savait pas combien de temps durerait le rendez-vous.

— Ça va être bon pour toi, ça, riposta Anne. Un juste retour d'ascenseur. Depuis le temps que tu...

Mathilde coupa court à la conversation : son patient était arrivé. Elle s'excusa auprès de son amie, promit de lui faire signe le soir même et raccrocha.

Comme convenu, Martine passa prendre sa sœur à la clinique et elles se rendirent ensemble chez Me Lévesque, dont le bureau était situé à quelques pâtés de maisons. Mathilde la trouva nerveuse.

— Je ne sais pas pourquoi je suis comme ça. Comme si maman avait une fortune à nous léguer ! Elle n'avait rien.

— Tu serais surprise, je pense, lui confia Mathilde. Elle m'a souvent dit qu'elle avait investi la pension de papa dans des placements, et que ça lui avait rapporté un bon montant. Et comme elle ne dépensait jamais rien... Il doit bien en rester un peu.

Me Lévesque les attendait. La lecture des dernières volontés de leur mère ne dura pas longtemps. Lucille avait beaucoup plus d'argent que Martine ne le croyait, et elle léguait tout à sa cadette, ne laissant que très peu de ses avoirs à Mathilde. Me Lévesque termina la lecture des volontés de Lucille de tout laisser à sa cadette par ces trois points : de un, parce que Martine était la plus jeune ; de deux, parce qu'elle avait des enfants ; et de trois, parce que c'était comme ça.

— Tu le savais, n'est-ce pas ? demanda doucement Mathilde à sa sœur.

Cette dernière commença par nier, puis se mit à bafouiller.

— Oui… mais non. C'est pour les enfants… Je ne pensais pas qu'elle me laisserait tout. Je pensais…

— Laisse tomber, murmura Mathilde. De toute façon, ça n'a pas d'importance.

Elle se leva, prit son manteau et son sac, serra la main du notaire et sortit du bureau.

— Laisse-moi te ramener ! cria Martine dans son dos.

— J'ai besoin de prendre l'air, répliqua son aînée avant de refermer la porte.

10

Mathilde se recroquevilla à nouveau. Elle venait d'avertir la clinique qu'elle prenait quelques jours de congé maladie. Elle avait tiré les rideaux, éteint la radio et la télévision, débranché le téléphone. Même le souvenir des derniers jours partagés avec Poppy, de cette joie retrouvée n'arrivait pas à la sortir de son marasme. Kaïa se tenait tranquille. Dans ces moments-là, la petite chienne savait qu'il faudrait qu'elle se contente d'une courte promenade pour ses besoins. Sa maîtresse ne serait pas disponible pour les jeux ni les caresses. Elle se roula en boule, elle aussi, réchauffant de son mieux les pieds de Mathilde, l'accompagnant dans son voyage vers l'obscurité.

Ce n'était pas comme si elle ne savait pas. Alors pourquoi était-elle si surprise? Sa mère ne l'avait pas aimée de son vivant et, une fois morte, le lui avait signifié plus vertement. Encore et toujours, il n'y en avait que pour Martine. Elle n'était pas jalouse; elle aimait trop sa sœur pour cela. Et celle-ci n'y était pour rien. C'est Lucille qui avait pris cette décision. Mathilde avait pardonné tellement de choses à sa mère, parce que l'amour demande beaucoup de pardons. Une de plus, pourquoi pas? Elle se serait contentée de quelques élans de douceur, de quelques miettes d'amour. Comment une mère pouvait-elle préférer un enfant à un autre? Comment devenir insensible aux efforts incessants de l'enfant rejeté pour se faire aimer? Tant de questions sans réponses.

Ce n'était pas le montant d'argent qui ne lui serait pas alloué qui blessait Mathilde, mais ce manque d'amour, déjà ressenti dans son enfance et que sa mère masquait à peine, qui lui revenait aujourd'hui comme une gifle en plein visage. Elle n'était pas aimée de sa mère, un point c'est tout. Mathilde devait arrêter de se mentir. Malgré tous ses efforts, elle n'avait pu sauver sa mère du naufrage de sa vie. Même en nageant très fort, même en déployant toutes ses forces, elle n'était pas arrivée à la maintenir hors de l'eau. Elle savait qu'elle devrait se pardonner, un jour. Se pardonner de ne pas avoir été assez jolie, assez légère. De ne pas avoir été l'autre, finalement. Mais pas maintenant. Aujourd'hui, elle ne pouvait pas, elle n'y arrivait pas. Demain elle pourrait accoucher d'une autre, elle pourrait se mettre elle-même au monde, devenir différente, se tricoter une autre vie. Un jour, elle aurait besoin de voir, à nouveau, qu'elle était quelqu'un de bien, aux yeux d'autrui. Pas aujourd'hui.

Mathilde dormit longtemps, rêva beaucoup, se leva à quelques reprises et se recoucha plusieurs fois. À chaque instant où elle émergeait du lit, Kaïa croyait que c'en était fini de la torpeur de sa maîtresse. Mais comme cette dernière retombait dans le sommeil, elle prenait son mal en patience, soupirait longuement en se collant encore plus contre le corps de celle qu'elle tentait de consoler dans ces moments difficiles.

Mathilde préféra se jeter, à corps perdu, dans l'oubli. Cela lui évita de hurler, de trop pleurer, de laisser émerger les souvenirs de ces gestes mesquins, de ces paroles acerbes, de ces blessures, *a priori* insignifiantes, mais qui tracent leur chemin jusqu'au cœur pour le meurtrir à petits coups de couteau. Le sommeil l'empêchait également de secouer la tête en permanence pour chasser de son esprit le souvenir des petites lâchetés qu'elle avait excusées, des mots désobligeants qu'elle avait pardonnés, mais qui lui revenaient en mémoire, grossis, déformés, devenus monstrueux avec le temps.

Deux jours plus tard, en fin d'après-midi, la sonnette résonna avec insistance dans la nuit artificielle dans laquelle Mathilde s'était enveloppée. Elle sortit de son lit avec difficulté, se traîna encore endormie jusqu'à la porte et demanda qui était là.

— C'est Anne. Est-ce que ça va ?

Elle dit que tout allait bien. Elle se reposait. Puis une autre voix se joignit à celle de son amie.

— Mathilde, c'est Poppy. J'étais inquiète. Je viens de croiser Anne dans l'escalier.

— Fitz, laisse-nous entrer.

Mathilde ouvrit finalement la porte pour laisser entrer sa nouvelle amie et sa compagne retrouvée. Elles ne relevèrent pas le teint cireux de Mathilde, ni sa tête en broussaille, ni ses yeux rougis, ni sa tenue négligée. Anne fit du café tandis que Poppy déballait les biscuits qu'elle venait d'acheter. Kaïa bondissait de joie. Enfin, un peu d'action ! Elles gardèrent d'abord toutes trois le silence. Puis Mathilde se confia. À un moment donné, Anne lança cette boutade pour faire rire son amie :

— « L'argent, ça va, ça vient. Quand ça vient, ça va ! »

Et elle ajouta :

— Quand ça ne vient pas, on fait avec ce qu'on a.

Mathilde sourit. Puis Poppy l'étonna :

— Ne vous en faites pas. Je crois que votre maman était incapable d'aimer. Votre père vous aimait, lui ?

Mathilde et Anne répondirent en chœur :

— Beaucoup !

— C'était un vrai papa Noël, enchaîna Mathilde.

11

Les trois femmes s'étaient entendues à merveille.
Au cours de la soirée, Anne avait signifié à Mathilde
qu'elle comprenait son enthousiasme et son atta-
chement envers Poppy. Elle-même était sous le
charme. À la nuit tombée, elles improvisèrent un
souper. Il restait quelques plats prévus pour Lucille,
au congélateur; une bouteille fut également
ouverte et elles lui firent honneur. Elles parlèrent
de tout, de rien et de la mère de Mathilde. Anne,
un peu pompette, souligna à plusieurs reprises
que des filles qui n'avaient pas été aimées par leur
mère, il y en avait à profusion dans la petite et la
grande histoire, et que la plupart s'en étaient sorties. Poppy, pour sa part, cita Freud, qui soulignait
l'importance pour chaque être humain de se déta-
cher de l'autorité des parents pour accomplir son
développement personnel. Anne et Mathilde sif-
flèrent à l'unisson, admiratives devant l'érudition
de Poppy, et finalement Mathilde porta un toast
à la santé de Freud. Ses nouvelles amies l'accompagnèrent dans un énième fou rire. Puis le téléphone sonna. Il était plus de dix heures. Toutes

trois se regardèrent : il était tard pour recevoir un appel. Mathilde conclut qu'il s'agissait de Martine, mais ce fut plutôt la préposée de la maison pour personnes âgées qu'elle trouva au bout du fil. La femme s'excusait de téléphoner si tard et demanda, d'une voix inquiète, si par hasard Mathilde n'avait pas eu récemment des nouvelles de Paméla Bernatchez. Elle appelait en dernier recours ; comme elle les avait vues ensemble à quelques reprises, elle espérait que… La préposée continua sur sa lancée. Paméla ne s'était pas présentée à son rendez-vous chez le médecin cet après-midi-là et personne ne l'avait vue depuis quelques jours, alors elle était allée frapper à sa porte. N'obtenant aucune réponse, elle avait craint le pire.

— Vous savez, à cet âge… Ce sont des choses qui arrivent.

Puis elle était entrée et, ne la trouvant pas sur place, elle avait attendu le soir et s'apprêtait à appeler la police.

— C'est la procédure…

Mathilde l'arrêta sur-le-champ.

— Paméla est ici, inutile de vous inquiéter, elle va bien.

Poppy et Anne écoutèrent avec attention, essayant de capter quelques informations au passage. Mathilde ne réussit qu'à placer une série de « hum, hum » entre les phrases de son interlocutrice.

La préposée était soulagée, heureuse qu'il ne soit rien arrivé de dramatique à Mme Bernatchez.

Elle remercia chaudement Mathilde et lui conseilla fermement de ne plus jamais leur faire une peur pareille. «De grâce, la prochaine fois, avertissez-nous, s'il vous plaît! » Le message était clair. En raccrochant, Mathilde signifia à Poppy que le téléphone la concernait et parla du rendez-vous chez le médecin.

Anne demanda à Paméla si elle était malade.

— Non, non, non, je ne suis pas malade. Mais on me fait tout le temps passer des tests. J'en ai marre, à la fin. Si je les écoutais, ils changeraient chaque morceau de mon corps. J'ai déjà subi deux opérations pour la cataracte, on veut me faire porter un appareil pour mieux entendre; ils proposent pour bientôt un remplacement de la hanche en plus de tous les médicaments contre l'arthrose, la polyarthrite, pour le cœur, les vaisseaux sanguins, la digestion… qu'ils m'obligent à ingurgiter. Finalement tout ce qu'ils vont réussir à faire, c'est me rendre folle, conclut-elle en souriant.

Mathilde ajouta qu'ils avaient eu très peur, ne sachant pas où elle était, et qu'il y avait un message important pour elle : elle était attendue de pied ferme dans le bureau de la directrice le lendemain.

Poppy balaya du revers de la main cet ordre.

— On est comme des enfants d'école. Je me trouve un peu âgée pour me rapporter.

— Est-ce que c'est parce qu'ils ont peur que les pensionnaires s'échappent? l'interrogea Anne.

— Non, non. Ils ont peur qu'on tombe ou qu'on s'égare…

Mathilde trouva la chose tout à fait normale. Elle était contente, du temps où sa mère séjournait dans cet endroit, qu'ils la surveillent de près.

— Par contre, ajouta Poppy, ils n'ont pas peur qu'on se fasse enlever. Chaque fois que j'ai une sortie, je les mets en garde.

Elle mima tout en jouant la coquette.

— «Je vais à un souper, je ne sais pas qui va me kidnapper cette fois-ci.» Ils me trouvent comique, mais ne s'inquiètent pas du tout. Ils devraient se méfier… un jour, ça va bien m'arriver…

Mathilde admira l'attitude de Poppy. Cette audace, ce ton frondeur, ça ne lui ressemblait pas beaucoup. Mathilde avait toujours été une bonne fille, avait suivi les règlements à la lettre, n'avait jamais quitté l'école sans raison valable, n'avait jamais frôlé le danger, même de loin; une fois elle avait volé une gomme à effacer, mais se sentant terriblement coupable, elle était allée la rendre, honteuse. Ce soir-là, sa nature prudente reprit le dessus.

— La prochaine fois, on devrait quand même les avertir, dit-elle.

Poppy éclata de rire.

— Pas question! Ça fait tellement de bien de savoir que quelqu'un s'inquiète pour moi. Pas juste pour ma santé!

Elle regarda ses amies et leur déclara:

— Les filles, on devrait se sauver. S'en aller quelque part et peut-être ne jamais revenir!

Anne applaudit à cette proposition et l'illustra de possibilités.

— Oui, oui! Une plage au soleil pour faire la sieste, beau temps, mauvais temps, ou une grande ville avec plein de musées à visiter. N'importe où sur la planète où il n'y a pas de chimiothérapie!

Mathilde les écoutait en silence. Partir. Il y avait longtemps qu'elle n'avait pas songé à ça. Elle qui ne bougeait jamais. Retenue par sa petite sœur, puis par sa mère, par le travail... Elle s'était séquestrée elle-même, pour se constituer prisonnière de sa propre vie.

Poppy se leva de son fauteuil et leur demanda, dans une envolée théâtrale digne de Sarah Bernhardt:

— Où va-t-on quand on veut, du jour au lendemain, échapper à l'ordinaire, trouver l'incomparable, la fabuleuse merveille?

Mathilde et Anne restèrent pendues aux lèvres de Poppy dans l'attente de la suite.

— À Venise! conclut-elle. Venise, Venise, Venise. VENISE!

Puis elle se précipita en riant vers la salle de bain en leur criant qu'en attendant de partir elle devait absolument aller faire pipi.

Anne regarda Mathilde en secouant la tête devant l'attitude de Paméla.

— Ce n'est pas ton père qui parlait souvent de Venise?

Mathilde n'en avait aucun souvenir. Au retour de Paméla, Anne, qui était venue en taxi – elle n'avait pas encore le droit de conduire sa voiture –, offrit de la ramener. La vieille dame accepta.

— Parfait ! Je vais aller voir les petits vieux et dormir chez eux.

Elle les interpella toutes deux, avant de franchir le seuil.

— Et pensez à ma proposition. Ce n'était pas des paroles en l'air. Je suis pompette, mais pas complètement gaga ! Oh ! Je suis Lady Gaga ! déclara-t-elle, dans un grand éclat de rire.

Il était tard, les voisins devaient dormir ; Anne et Mathilde durent freiner l'enthousiasme de Poppy.

— Chut, chut… Pas si fort, Lady Gaga !

Une fois qu'elles furent parties, Mathilde resta appuyée contre la porte, et comme une vague rejette des résidus sur la plage, les morceaux d'un souvenir longtemps enfoui remontèrent à la surface de sa mémoire, et chaque parcelle, chaque fragment s'unirent de telle sorte qu'elle vit apparaître une image très claire devant ses yeux. Son cœur battait à ses tempes. Le rêve de l'enfance était là, précis, intense, un rêve « en pantoufles bleues », et il portait le nom de Venise.

12

Elle se souvenait parfaitement. Son père lui avait raconté cette cité mystérieuse, cette ville flottante, la Sérénissime qui recelait tant de splendeurs. Il estimait que les imprimeurs vénitiens avaient publié les plus beaux livres jamais imprimés, même s'ils n'avaient pas été les premiers à le faire. Elle se rappelait maintenant, presque mot pour mot, ses propos : « Pendant près de deux siècles, Venise fut la plus grande métropole de l'imprimerie. C'est là qu'on a découvert le caractère romain, qui tranche avec les gothiques qui l'ont précédé. » Mathilde n'avait pas vraiment su à l'époque ce que ça voulait dire, même si Noël lui avait montré les différents caractères d'imprimerie, et elle n'en était pas plus certaine aujourd'hui. Elle vérifierait sur Internet lorsqu'elle en aurait le temps. L'important, pour le moment, c'était cette promesse faite à son père. Comment avait-elle pu l'oublier ? « Si c'est possible, je t'emmènerai, avait-il dit. Sinon, toi, tu dois y aller. Je suis sûr que tu y seras heureuse. »

Elle irait donc à Venise. Et pourquoi pas avec Poppy, puisque cette dernière y voyait l'endroit où aller... comment avait-elle dit cela, déjà ? Elle se rappelait sa tirade par cœur puisque Poppy les avait obligées à répéter chaque mot : « Où va-t-on... quand on veut, du jour au lendemain, échapper à l'ordinaire, pour trouver l'incomparable, la fabuleuse merveille ? Et la réponse est... »

Pour l'instant, la réponse à beaucoup de choses dans la vie de Mathilde s'appelait Poppy. « Une fofolle, une excitée de la vie », aurait dit sa mère. Cette femme, malgré ses... – au fait, elle avait quel âge exactement ? se demandait Mathilde –, était amusante, spirituelle, semblait avoir des connaissances illimitées et tout paraissait être pour elle matière à s'amuser. Bien sûr, son corps ne suivait pas aussi allègrement sa vivacité d'esprit, mais elle, au moins, était vivante. Tellement plus que Mathilde, qui avait oublié de vivre sa vie pour se consacrer à celle des autres.

Venise. Ce mot s'amplifiait dans son esprit avec une force incroyable, comme un navire qui fend l'eau et qui s'entête à aller de l'avant. Les images d'île flottante évoquées par son père transperçaient la brume de son cerveau et lui apparaissaient comme la seule issue possible.

Lorsque Mathilde rendit visite à Poppy, quelques jours plus tard, elle voulut en savoir davantage sur la Sérénissime. Pourquoi Venise ?

— Parce que c'est la plus belle ville du monde, la plus mystérieuse, la plus envoûtante, la plus enveloppante. Et parce que, en vieillissant, elle nous ressemble. Venise est encore belle, mais tout comme nous elle se fragilise, elle s'effrite de jour en jour. Le temps lui est compté.

— Et pourquoi maintenant?

— Parce que le temps presse, ma petite Mathilde. Le terrible décompte est commencé.

— Vous êtes loin d'être rendue à la fin... avança-t-elle.

— Peut-être, admit Poppy, mais on ne sait pas ce qui nous attend. Vous le savez, vous? Mais surtout, je ne veux pas attendre à la dernière minute. Il est souvent trop tard.

Ce fut l'argument qui décida Mathilde. Et puis aussi sa conviction que, si elle ne réalisait pas maintenant au moins un de ses rêves d'enfance, elle ne serait jamais heureuse.

Les préparatifs ne furent pas simples. Quitter son travail temporairement ne posa pourtant aucun problème. La jeune femme qui l'avait remplacée pendant qu'elle se remettait de la mort de sa mère était ravie de pouvoir travailler sur du long terme. Mathilde avisa son patron qu'elle prendrait au moins un mois. C'est le reste qui fut ardu; elle dut défendre son projet à droite et à gauche. La directrice de la maison de retraite, d'abord, la mit en garde.

— Êtes-vous bien sûre de savoir dans quoi vous vous engagez? Elle est fragile, Mme Bernatchez. Et puis, elle a des médicaments à prendre... Si elle tombait malade, ou si elle tombait tout court? Et puis, il y a les assurances. A-t-elle un passeport, au moins ? Et qui on avertirait si ça se passait mal ? Elle n'a plus de famille, je crois.

— Elle a moi, dorénavant, répondit fermement Mathilde. Et pour tout le reste, ce n'est qu'une question d'organisation. Passeport, bagages, médicaments et assurance, je vais m'en occuper. J'ai veillé sur ma mère toute ma vie ; à onze ans, j'étais déjà responsable d'elle, j'ai de l'expérience dans le domaine. Je devrais être capable de gérer ces vacances.

Puis elle repartit, la tête haute et le cœur battant la chamade. Au contact de Poppy, elle devenait plus hardie, et la chose était loin de lui déplaire. N'avait-elle pas rêvé de cela, adolescente ? Faire ce qui lui plaisait. Envoyer promener les empêcheurs de tourner en rond, s'enfuir de sa mère qui la grugeait au fil des jours, qui l'assombrissait de plus en plus. Elle ne voulait pas finir comme elle. Ça, jamais. Plutôt mourir. « Non, se dit-elle. Plutôt vivre ! » Et elle accomplissait sa première délinquance en enlevant Poppy et en l'emmenant à Venise. La vieille dame était enchantée qu'on la kidnappe enfin.

Anne ajouta également son grain de sel lorsque Mathilde lui confia son projet.

— Tu vas encore t'occuper de quelqu'un ?

— Je ne m'en occuperai pas, je vais voyager avec elle.

Alors qu'Anne tentait de dissuader son amie avec tous les arguments possibles, Mathilde la prit de court.

— Pourquoi tu ne viendrais pas avec nous? Toi aussi, tu as besoin de te changer les idées.

Anne baissa sa garde et abdiqua devant la détermination de Mathilde. Elle conclut que ce voyage n'était pas si fou finalement et que, au fond, elle les enviait. Mais elle ne pouvait pas partir. Il fallait laisser passer du temps après ses derniers traitements, et puis il y avait son fils...

Mathilde réfléchit tout haut.

— C'est incroyable comme on a toujours de bonnes raisons pour ne pas s'occuper de nous!

— Allez, Fitz! «Va, cours, vole et me venge», dit Anne en riant.

Elles se serrèrent dans leurs bras.

Enfin, Mathilde marcha sur son orgueil et donna rendez-vous à sa sœur pour lui solliciter un prêt.

— Ce n'est pas comme si je te demandais la charité. J'ai juste besoin que tu m'avances un peu d'argent, que je vais te rembourser au cours de l'année.

Martine fut surprise qu'elle fasse appel à elle.

— J'ai besoin de toi pour réaliser ce rêve, dit simplement Mathilde.

— Et qu'est-ce que tu vas faire avec ton chien?

Mathilde sourit. Elle avait tout prévu.

— Tes fils sont d'accord pour le prendre en pension.

Elle devança sa sœur:

— Oui, oui, je sais, j'aurais dû t'en parler avant de te mettre devant le fait accompli. Mais, Martine, on n'a plus que nous deux, maintenant. Et je me suis rappelé que quand tu étais petite tu rêvais d'avoir un chien. Avec maman, il n'était pas question d'animaux dans la maison. Je t'offre la possibilité de faire un essai avec Kaïa. Tu vas voir, tu ne pourras plus t'en passer !

Martine soupira et dit qu'elle en discuterait avec son mari.

Elle ne tarda pas trop à répondre à la requête de Mathilde, dont elle admirait la nouvelle détermination. Et lorsque celle-ci ouvrit l'enveloppe, quelle ne fut pas sa surprise de constater que le montant était beaucoup, beaucoup plus important que ce dont elles avaient discuté. Un mot accompagnait le chèque : « Mathilde, ceci n'est pas un prêt. C'est ce qui te revient. Je suis tellement contente que tu aies enfin besoin de moi. Amuse-toi bien. »

C'est dans la fébrilité la plus excitante que les préparatifs se terminèrent. La veille de leur départ, Poppy déclara à Mathilde, qui voulait apporter plein de guides dans ses bagages :

— Si vous voulez, je vous raconterai la Venise que j'aime, je vous guiderai. Je connais « un pays étrange où les lions volent et marchent les pigeons ». C'est de Cocteau.

Et elle ajouta, dans un rire malicieux :

— « On a fait couler tellement d'encre sur Venise qu'elle se noie. » Alors laissez-vous flotter à mon bras !

13

Mathilde et Poppy sautillaient comme deux gamines surexcitées à la vue de leurs bagages sur le tapis roulant, franchissant les portes et disparaissant vers le convoyeur. Elles savouraient déjà la promesse du départ. Elles auraient applaudi si la préposée d'Air Canada n'avait pas retenu leur attention pour leur remettre leurs documents, en leur mentionnant la porte et l'heure d'embarquement. En attendant de monter à bord, elles firent la même chose que la majorité des voyageurs : flâner dans les boutiques. Alors qu'elle feuilletait un magazine, Mathilde se rendit compte que Paméla n'était plus à ses côtés. Elle regarda tout autour, en vain. Elle refit en sens inverse leur chemin à travers les commerces, retourna aux toilettes ; pas de Poppy en vue. Son cœur se mit à battre à tout rompre, puis à s'affoler carrément. Allait-il en être ainsi tout au long du voyage ? Allait-elle être obligée de la surveiller sans cesse ? Mathilde était sur le point d'aller demander de l'aide pour retrouver son amie, lorsque celle-ci apparut, souriante, tenant son bagage d'une main et un sac en plastique de l'autre. Mathilde avait les joues rouges d'avoir couru dans tous les sens et Poppy s'en aperçut. Elle s'excusa de ne pas l'avoir informée de son absence et se justifia en disant que c'était pour une urgence. Elle lui confia à l'oreille qu'il lui arrivait parfois de « s'échapper » lorsqu'elle riait trop. Et comme elle avait l'impression que c'était ce qui les attendait, tout au long de ce voyage, elle avait prévu le coup, expliqua-t-elle en montrant à Mathilde son sac de pharmacie qui contenait des culottes de rechange.

— J'avais oublié d'en apporter pour l'avion.

Mathilde s'en voulut d'avoir cédé si rapidement à la panique et prit le bras de Poppy pour franchir les postes de contrôle. Ce passage obligatoire semblait amuser Poppy, qui s'y prêta de bonne grâce. Mathilde, qui n'avait pas voyagé souvent dans les dernières années – une seule fois en fait, avec une collègue de travail pour une toute petite semaine au Mexique –, ne se rappelait pas qu'il fallait enlever ses chaussures, sa ceinture, et tout ce qui risquait de faire tinter la porte-radar, en plus de tous les liquides qu'il fallait rassembler. Mathilde réalisa que les consignes d'aéroport avaient bien changé depuis les attentats de New York. Elle n'avait qu'une hâte : se retrouver assise dans l'avion, ce qui ne tarda pas trop. Lorsque l'appareil prit son envol, Poppy serra fermement la main de son amie. Cette dernière crut qu'elle avait peur au moment du décollage. Bien au contraire, Paméla riait de plaisir et voulait partager cette joie avec Mathilde.

Elle lui fit part de sa conviction qu'elle ne voudrait plus repartir lorsqu'elle aurait découvert les splendeurs de la Sérénissime. « On s'en va vers la beauté, Mathilde, vers un coup de foudre assuré, et nous allons nous perdre dans un labyrinthe fantastique pour mieux nous retrouver. » Mathilde apprécia cette perspective.

— Si je me souviens bien, c'est Guy de Maupassant qui disait qu'« aucun coin de la terre n'a donné lieu, plus que Venise, à cette conspiration de l'enthousiasme ».

Tandis que Poppy consultait les magazines mis à la disposition des passagers, Mathilde en profita pour sortir le cahier de notes qu'elle s'était procuré avant de partir et y nota cette phrase. Ce cahier allait devenir son journal de bord, le témoin de son aventure. Poppy mangea peu, au contraire de Mathilde que ce périple invitait déjà à la gourmandise. Elles burent pas mal de champagne, rirent beaucoup du voisin de l'allée qui débordait avec ses longues jambes et ses ronflements sonores, avant de s'endormir, leurs têtes en appui l'une contre l'autre. Le vol se passa sans heurts et elles se réveillèrent reposées, mais légèrement fripées, tout juste avant qu'on serve le petit-déjeuner.

Près d'une heure plus tard, elles entendirent cette phrase qui met les voyageurs en joie.

— Mesdames et messieurs, nous allons atterrir à Rome dans quelques instants. Veuillez boucler votre ceinture, redresser votre dossier et ranger la tablette devant vous.

Mathilde sourit. Un ailleurs l'attendait. Un ailleurs enveloppé de mystère à mille lieues de ce qu'elle avait connu jusqu'à maintenant. Elle allait à la découverte d'une promesse. Celle qu'une fille avait faite à son papa adoré. «Si tu vas à Venise un jour, lui avait-il dit, tu seras sûrement heureuse.»

Pour le moment, Mathilde observait les premières lueurs du jour à travers le hublot. Quelques bribes de la chanson de Jacques Michel lui vinrent en mémoire: «Viens, un nouveau jour va se lever... Le temps de subir est passé, c'est assez, le temps des sacrifices...» Elle sourit à l'évocation de ces paroles. Une bêtise, mais qui lui fit du bien. Elle savait à cet instant précis que ce premier jour de novembre s'annonçait comme un jour nouveau dans sa vie.

Poppy et Mathilde n'étaient pas rendues à destination, mais elles s'en approchaient. Poppy avait suggéré d'atterrir à Rome plutôt que de passer par une autre ville pour se rendre en avion à Venise. Les vols directs en provenance du Québec n'existaient pas à cette période de l'année. Elle avait également conseillé de faire le trajet en train, qui était beaucoup plus excitant.

«Vous allez comprendre lorsqu'on sortira de la gare de Santa Lucia, à Venise. Ça vaut toutes les arrivées en avion, je vous le jure!» Mathilde n'avait pas été longue à accepter cette proposition. Pour elle, voyager en train, c'était un peu comme s'asseoir confortablement dans une berceuse et se préparer, au rythme des balancements, à recevoir une belle histoire.

14

Après la présentation des passeports à l'aéroport Leonardo da Vinci, et la récupération des bagages, puis le transfert jusqu'à la gare Termini au centre de Rome, elles furent finalement confortablement installées à bord du train de la compagnie Trenitalia, direction Venezia.

Mathilde et Paméla discutaient fébrilement de tout ce qui les attendait en savourant leur premier vrai *caffè* italien. Le paysage, quelque peu dénudé en ce début d'hiver, ne manquait pas de charme. Les villages, les hameaux, les champs en friche se succédaient. Mathilde notait les noms : Civita Castellana, Narni, Perugia, Marciano, San Marino. Des appellations à consonances merveilleuses. Poppy racontait l'Italie de son adolescence, au moment de ses études. Elle parlait de sa fascination pour l'architecture, pour la peinture. Elle avait une façon toute personnelle d'exposer les faits, de décrire les lieux, les gens. Elle raconta également qu'elle avait déjà voyagé sur l'Orient-Express pour se rendre à Venise. « Un luxe inimaginable ! » Mathilde la trouvait délicieuse avec ses yeux qui brillaient de mille feux sous son petit béret de guingois, son éternel foulard à pois noué à la Bardot et ses mains qui voltigeaient devant elle, légères malgré un début d'arthrite. Mathilde avait l'impression que les gens sur les banquettes alentour s'étaient tus pour écouter les rocambolesques aventures de Paméla Bernatchez, même si cette dernière s'exprimait dans un français truffé de quelques mots d'italien.

Et puis aux environs de Cesenatico et Porto Viro, la mer apparut, s'étalant de tout son long et offrant un décor magistral, comme un tableau de maître accroché à la baie vitrée du compartiment. Mathilde en eut les larmes aux yeux tandis que Poppy battait des mains. En apercevant les yeux mouillés de son amie, elle lui murmura qu'elle n'avait pas fini de s'émouvoir.

Et c'est exactement ce qui se produisit lorsque, après avoir quitté le train, elles sortirent munies de leurs bagages et laissèrent derrière le bâtiment aux allures des années cinquante de la *stazione* Venezia Santa Lucia. La vue s'offrant aux voyageurs était réjouissante. D'abord il fallait emprunter les marches menant à une place, et de là on arrivait directement sur le Grand Canal. Tout en transportant ses bagages vers les quais, Mathilde ne savait plus où regarder tant ce qui lui était donné à voir la ravissait. Poppy, pour sa part, remercia d'un grand sourire l'offre des *portabagagli*, les porteurs de valises empressés et, tout en se dirigeant vers les quais, commença sa leçon d'histoire. Elle signifia à Mathilde que le pont à leur gauche portait le curieux nom de *ponte* degli Scalzi, ce qui signifiait le pont des Déchaussés ; ces derniers n'étaient pas des va-nu-pieds, mais plutôt des moines carmélites aux pieds nus qui formaient un ordre mendiant. Leur église abbatiale des carmes portait le même nom. Peu visitée par les touristes, elle méritait tout de même le détour. Poppy dirigea, en habituée qu'elle était, leur chargement vers le quai où se trouvaient les *vaporetti*. On avait donné à Mathilde un rendez-vous à l'arrêt San Samuele, à deux pas de l'appartement qu'elle avait loué. Un certain Simeone viendrait à leur rencontre pour les guider et leur remettre les clés.

À bord du *vaporetto*, une fois que les bagages furent rangés près de la cabine du conducteur, Poppy se faufila à travers les passagers en tenant fermement la main de son amie et l'entraîna vers l'avant du bateau, où elles trouvèrent deux sièges. C'est à ce moment précis que le soleil apparut entre deux nuages gris, tel un projecteur éclairant la scène. D'un geste élégant, Poppy indiqua à Mathilde où porter son regard : sur « la plus belle avenue du monde », le *Canalazzo*, comme le surnomment les Vénitiens, le Grand Canal qui se déroulait devant elle. Le soleil luisait doucement et faisait miroiter l'eau de milliers de tessons multicolores. En levant les yeux, Mathilde aperçut le plus beau décor qui lui eût jamais été donné d'admirer. Elle avait déjà vu des images de Venise sur papier glacé ; c'était autre chose de se trouver au cœur même de la cité flottante dont les monuments pittoresques, la mythique avenue aquatique et les nombreux ponts avaient été célébrés par les poètes et encensés par les amoureux de Venise. Un grand frisson l'envahit et ses yeux s'embuèrent tant l'émotion la submergeait. Elle faisait maintenant partie du plus émouvant tableau qui soit. De chaque côté de cette artère d'eau étaient érigés de somptueux palais décatis, les *palazzi*, qui semblaient flotter sur l'eau, tous plus somptueux les uns que les autres, usés par les années, mais encore flamboyants. De chaque côté du *vaporetto* glissaient, indifférentes au trafic continu, des gondoles laquées noires, chargées de touristes et guidées par des gondoliers vêtus de pulls rayés blanc et rouge, coiffés de canotiers et ramant avec vigueur pour pousser l'embarcation vers un petit canal ; il y avait également des bateaux-taxis, élégants avec leur coque en bois verni et équipés d'une cabine, qui fendaient les flots, rivalisant presque de vitesse avec une vedette de police lancée à vive allure. Poppy montra du doigt une barge où s'empilaient des ballots de linge destinés aux hôtels.

Lorsque le *vaporetto* accosta à la station San Samuele, un homme aida gentiment Mathilde et Poppy à pousser leurs valises vers le quai. En descendant du bateau, Poppy fit la réflexion qu'elles avaient bien fait de venir à Venise à cette période de l'année. Même si la température n'était pas aussi clémente qu'à la belle saison, il y avait beaucoup moins de touristes, et les habitants étaient plus aimables et serviables que lorsque leur ville était envahie par des milliers d'étrangers.

Elles se dirigèrent vers le centre de la minuscule place donnant sur le *palazzo* Grassi, où se trouvaient un arbre dégarni et un banc tout près d'une fontaine, pour attendre le locateur. Poppy regarda sa montre, qui indiquait encore l'heure de Montréal, et se rendit compte qu'elle était passablement éreintée, et quelque peu désorientée.

— Je ne sais même plus le jour, ni l'heure, ni la date, je sais seulement que nous sommes arrivées.

Et elle s'assit en poussant un long soupir. Mathilde la rejoignit sur le banc. Avec la fatigue due au voyage et l'effervescence de l'arrivée, elle sentait elle aussi une certaine lassitude l'envahir. Elle rassura son amie.

— Ne vous inquiétez pas, Poppy, nous ne sommes pas en retard pour le rendez-vous. Bientôt, nous pourrons prendre une bonne douche et nous reposer. J'ai hâte que vous découvriez l'appartement, je crois qu'il vous plaira. Et pour votre gouverne, nous sommes le samedi 1er novembre.

Elle ajouta dans un grand sourire :

— Et nous sommes à Venise !

Poppy était ravie de voir que sa compagne de voyage était, certes, aussi fatiguée qu'elle, mais follement enthousiaste à l'idée de ce périple. Elle battit des mains comme une enfant à qui l'on venait de faire le plus joli présent qui soit.

— Ma petite Mathilde, je crois que nous sommes bénies des dieux, car ce voyage démarre sous de bons augures. Saviez-vous que Casanova, LE Giacomo Casanova, l'homme dont le nom est synonyme de Venise, l'homme des liaisons dangereuses, s'est évadé de sa prison par les toits, après cent péripéties, que je vous raconterai, si le cœur vous en dit... un 1er novembre ?

Elle regarda Mathilde, qui ne comprenait pas où elle voulait en venir.

— Cet homme s'est évadé de sa prison un 1er novembre. Tout comme nous, Mathilde. Tout comme nous.

Elle serra doucement la main de Mathilde et lui dit que leurs vacances allaient être formidables.

— Miss Fitzgibbons ?

Les deux femmes se retournèrent vers un grand jeune homme qui tenait un trousseau de clés et qui semblait étonné de les voir, toutes deux, les yeux remplis de larmes. Il se confondit en excuses pour son retard. Il s'exprimait tantôt en italien, tantôt dans un anglais approximatif farci de mots de français. Pour dissiper le malentendu, Poppy riposta en italien, langue qu'elle maîtrisait parfaitement et qu'elle entrecoupait de rires. L'homme fut rassuré par son explication. Tout ce que Mathilde réussit à saisir fut le nom de Casanova qui revenait sans cesse. Ce jour-là, à l'image de l'homme qui les avait précédées, deux siècles et demi plus tôt, elles devinrent deux évadées, heureuses de se trouver enfin libres à Venise.

15

Le jeune homme se chargea des grosses valises et Mathilde et Poppy trottinèrent à sa suite pour réussir à le rejoindre tant sa foulée était longue. Il leur indiqua qu'à quelques pas, dans la *calle* delle Botteghe, elles trouveraient une petite épicerie, un marchand de vin et un traiteur, ainsi que de bons restaurants, à deux pas du *campo* Santo Stefano. Puis ils bifurquèrent dans une ruelle si étroite qu'il était étonnant qu'elle porte un nom, la *calle* Mocenigo. Une seule personne pouvait y marcher de front. Tout au bout se trouvait une haute grille de fer forgé noire protégeant un large bâtiment blanc surmonté d'une terrasse où de grandes draperies écrues flottaient au vent. Simeone montra à Mathilde quelle clé utiliser pour la serrure. Ils pénétrèrent dans un jardin luxuriant de plantes encore vertes à cette période de l'année et d'immenses statues ébréchées. Plusieurs fils électriques pendaient çà et là. Simeone secoua la tête, un peu découragé par tout ce filage et ces outils, dus aux perpétuels travaux qui avaient lieu au palais. Au centre, comme dans plusieurs cours vénitiennes, trônait un puits en marbre sculpté d'animaux dont la margelle était fermée par une plaque de métal noir. De chaque côté de ce puits ancien se trouvait une ouverture imposante qui menait aux deux *palazzi* Mocenigo. L'entrée de gauche conduisait à l'appartement que Mathilde avait loué pour elle et Paméla. Cette dernière n'était pas au courant des démarches de Mathilde ; son amie avait voulu lui réserver une surprise. Et celle-ci fut impressionnante. Poppy n'arrêtait pas de répéter : « Nous allons séjourner dans le *palazzo* Mocenigo, sur le Grand Canal ? »

— Mathilde, est-ce que vous savez que Lord Byron a vécu ici ? finit-elle par lui dire.

Simeone certifia les dires de Paméla. Mathilde était assez fière de son audace. Elle avait pris un temps fou à fouiller sur Internet et s'était dit que, tant qu'à réaliser un rêve, il avait intérêt à être de taille. Elles pénétrèrent à la suite du jeune homme, qui s'arrêta tout au fond d'une immense entrée aux plafonds ouvragés dont les murs défraîchis et peints de fresques délavées racontaient l'histoire d'un passé éculé.

À l'aide de l'autre clé, il ouvrit une double porte composée de pièces de verre rondes en plat avec un nœud au milieu (une « boudine », précisa Paméla), et il leur indiqua qu'à l'avenir, si le cœur leur en disait, elles pourraient venir en *motoscafo* (« taxi », traduisit aussitôt Poppy) et accoster à la porte adjacente à leur appartement.

Il pénétra ensuite dans l'appartement du *piano terra*. Ce rez-de-chaussée donnait directement sur le Grand Canal. Le lieu était joliment décoré. À l'entrée, il y avait un espace bureau, puis une pièce commune qui servait à la fois de salon et de chambre puisqu'un lit à baldaquin entouré de rideaux se trouvait dans une alcôve. Un grand canapé, des fauteuils confortables et une table à café complétaient l'ensemble. Tout au fond était nichée une salle de bain hyper moderne comprenant une immense baignoire et deux lavabos, le tout en marbre, et une douche de verre. Dans l'autre aile du studio, on découvrait une chambre de taille moyenne et une petite salle d'eau. Elles virent enfin la cuisine dernier cri, le coin-repas et une immense bibliothèque qui courait sur tout un mur. Les deux très vastes fenêtres de la salle commune donnaient sur le Grand Canal et sa circulation. L'appartement correspondait aux photos que Mathilde avait vues sur le site internet. Sa recherche l'avait menée vers plusieurs propositions toutes plus décevantes les unes que les autres : photos prises avec un grand-angle, espaces aménagés de façon spartiate, contenant le strict minimum et souvent mal décorés… Cet appartement, par contre, tenait ses promesses.

Après leur avoir fait visiter les lieux et leur avoir donné les informations d'usage, Simeone s'excusa une fois de plus. Cette fois-ci parce que le comte, le véritable propriétaire de l'appartement, n'était pas là pour les accueillir. Il était en déplacement quelque part en Europe, mais il se ferait un devoir de venir les saluer dès son retour. Il partit en leur souhaitant le meilleur des séjours et en leur recommandant de ne pas hésiter à l'appeler si elles avaient besoin de quoi que ce soit.

Lorsqu'il eut franchi la porte, les filles se mirent à sauter de joie. « Un comte ! On habite chez un comte dans un *palazzo*, sur le *Canalazzo* ! » L'endroit était parfait. Un peu plus sombre que sur les photos, mais le confort, la décoration raffinée et la vue sur le Grand Canal rachetaient tout.

Mathilde déposa sa valise près du lit à baldaquin et plaça celle de Poppy dans la chambre, lui assurant ainsi plus d'intimité. En revenant dans la pièce centrale, elle ferma un instant les yeux, puis les rouvrit pour être certaine qu'elle ne rêvait pas. Une urgence s'imposait : toutes deux mouraient de faim. Il était plus de trois heures de l'après-midi et elles n'avaient rien avalé depuis le matin, à part des grignotines à bord du train. Elles décidèrent d'aller manger d'abord et de s'occuper de leur installation ensuite.

Un petit resto dans une rue avoisinante fut adopté de concert, et elles choisirent au menu du jour des spaghettis *al ragù* accompagnés d'une carafe de vin rouge. Mathilde prenait le temps de savourer chaque bouchée. Venise goûtait bon ! À la fin du repas, elles sentirent toutes deux la fatigue du voyage les envahir. Heureusement, elles n'avaient que peu de pas à faire pour rentrer à l'appartement. Sur le chemin du retour, Mathilde acheta quelques denrées dans une épicerie en se disant que des tomates accompagnées de mozzarella *di bufala* et de basilic, ainsi qu'une salade de mâche toute fraîche feraient l'affaire si une fringale les prenait dans la soirée. Elle fit également l'achat de lait, de pain et de café pour le petit-déjeuner.

De retour à l'appartement, elles ne sortirent de leur bagage que l'essentiel pour une douche, puis s'allongèrent ensuite chacune dans leur lit respectif, le temps de récupérer. Elles avaient peu dormi dans l'avion et étaient éveillées depuis plus de dix-sept heures, sans compter le décalage horaire. L'énervement et les préparatifs du voyage, la fatigue accumulée ainsi que l'émerveillement de l'arrivée eurent vite raison d'elles.

Lorsque Mathilde se réveilla, l'appartement était plongé dans la noirceur. Elle glissa sa main sur la couverture à la recherche de Kaïa et ne la trouva pas. Tranquillement, tout lui revint en mémoire : l'avion, le train, l'appartement dans le *palazzo*, Venise. Kaïa était en sécurité chez sa sœur et ses neveux.

Elle lut vingt et une heures aux aiguilles de son réveil. Paméla semblait encore dormir. Mathilde se précipita, pieds nus, hors de son lit et se rendit à la fenêtre. Elle voulait vérifier si Venise était toujours derrière la vitre. Quelques bateaux circulaient doucement sur le Grand Canal. Un agréable clapotis venait frapper le quai sous ses fenêtres. Un *vaporetto* accosta à l'arrêt San Tomà, presque en face de l'appartement. Mathilde eut envie de hurler sa joie, mais se contenta de sourire à pleines dents. Elle n'avait pas rêvé, mais réalisait son rêve. Elle était à Venise.

16

Le lendemain matin, en se levant, Mathilde retourna s'accouder à l'une des fenêtres de l'appartement pour contempler à nouveau le Grand Canal. Elle avait l'impression de se trouver devant une immense toile de Canaletto, un tableau appelé à changer au cours des jours et des nuits d'observation. En ce dimanche matin, elle eut droit à une enfilade de barques à bord desquelles des rameurs aguerris, chacun arborant la couleur de son club, s'entraînaient en vue des régates de l'été suivant. Elle resta un long moment à admirer leur force et leur concentration. Ensuite, elle sortit de l'appartement en catimini et alla faire quelques courses, afin de préparer un copieux petit-déjeuner, puisque les deux voyageuses avaient fait le tour de l'horloge sans manger et que les maigres provisions de la veille ne suffiraient pas à apaiser leur appétit. Paméla dormait encore lorsque Mathilde rentra chargée de ses commissions : des œufs et de la pancetta qu'elle ferait griller, un fromage italien et une confiture de figues. Elle s'était bien amusée à faire les courses ; l'épicerie du coin de la rue débordait de trouvailles. Elle avait réussi à se faire comprendre, en utilisant les mains qui, en italien, servent beaucoup à la compréhension. Le seul moment critique avait été lorsque le commis avait refusé de lui servir une tranche de brie comme elle le souhaitait. Il s'était emballé en italien, mais Mathilde avait saisi le sens de ses paroles quelque peu caustiques : il était outré qu'elle désire acheter un fromage français alors qu'on était en Italie. Elle avait capitulé et avait goûté à un fromage de chèvre qui s'était révélé délicieux, *il cappello del mago*, qu'elle adopterait dorénavant.

Les bonnes odeurs de cuisson eurent raison du sommeil de Paméla, qui arriva quelques minutes plus tard dans la cuisine vêtue de son pyjama d'homme, en soie et fort élégant ; décidément, cette Poppy était tout un numéro ! Encore une fois, Mathilde se trouva chanceuse d'avoir croisé la route de cette femme qui savait jouir de chaque instant de son existence. Elle comptait bien prendre des leçons de vie auprès d'elle. Elles firent honneur au repas avec appétit.

— Vous êtes aux petits soins avec moi, Mathilde. Mais j'aimerais mettre les choses au clair, une fois pour toutes. Autrement, ça ne pourra pas marcher entre nous.

Mathilde retint son souffle.

— Est-ce qu'on pourrait se tutoyer ? Je n'en peux plus de ce vouvoiement impérial. Après tout, nous sommes amies, demanda doucement Paméla.

Mathilde était ravie que la demande vienne de Poppy. Bien que tout à fait d'accord avec ce souhait, elle n'aurait jamais osé le formuler.

— Et si l'envie de cuisiner vous prend à nouveau, allez-y allègrement, je ne vais pas résister. Je suis une terrible gourmande, et vous, une cuisinière hors pair !

— Marché conclu, Poppy. Il va sûrement y avoir quelques ratés, mais je vais y arriver. Et pour la bouffe et pour le tutoiement.

Avant de sortir pour leur première marche dans Venise, elles déballèrent leurs affaires. En aidant Paméla à ranger ses effets personnels dans la salle de bain, Mathilde fut étonnée de découvrir le nombre de médicaments qui lui étaient prescrits. Poppy en fit la nomenclature avec la même vélocité que si elle récitait son chapelet :

— Les rouges contre l'arthrite, les vertes et blanches contre les douleurs musculaires, les bleues, si je me souviens bien, c'est en prévision des maladies cardiovasculaires, et les roses pour la circulation veineuse ; les jaunes c'est contre l'hypertension, les blanches… ah oui, pour la digestion, les petites grises pour empêcher la dégénérescence maculaire, les grosses blanches, c'est du calcium contre l'ostéoporose. Le reste, c'est les gélules d'oméga-3 pour stimuler la mémoire et rendre de bonne humeur, vitamine D, magnésium, gouttes de mélisse contre le stress ou l'angoisse et, pour finir, les gouttes d'aubépine, quand le cœur s'emballe.

— Tout ça ?

— Et je vais bien. Imagine si j'étais malade !

Elles rirent de bon cœur. Étonnamment, Mathilde se sentait rajeunir avec Poppy. Juste avant de quitter l'appartement, elle alla chercher quelque chose dans le réfrigérateur.

— Alors, jeune fille, on y va ? demanda Poppy. Venise nous attend !

Lorsqu'elles furent dans la cour mitoyenne des deux *palazzi*, Mathilde se pencha devant un terre-plein garni de pelouse et appela en sifflant. Poppy s'approcha d'elle et découvrit un petit lapin gris qui dévorait à belles dents la laitue apportée par Mathilde.

— Je l'ai aperçu ce matin quand je suis sortie pour les courses. Je crois qu'il appartient aux gens qui habitent à côté.

— Un lapin ? Il y a un lapin dans notre cour ! Et qu'on nourrit avec de la mâche ! C'est le grand luxe. Le lapin a droit à une vie de pacha ! Et que dire de nous ? On a droit à une vie de princesses dans la plus belle ville qui soit. Mathilde, j'ai l'impression que le bonheur vient de nous frapper de plein fouet !

— On va le laisser faire, et même s'il nous jette par terre, je n'ai pas du tout l'intention de me relever, ajouta Mathilde. Assommée de bonheur, ça me va !

Et dire qu'elle avait cru, il n'y a pas si longtemps, que sa vie était finie… Léo Ferré avait raison : « Le bonheur, c'est du chagrin qui se repose ! »

17

Cette première journée fut formidable. Le cœur de Mathilde s'emballait à chaque pas. Tout était prétexte à des cris de joie, à des soupirs d'aise, à de grands frissons. Paméla lui avait offert de l'emmener au cœur de Venise. « Si ça te dit, on va faire un tour à l'extérieur, histoire de sentir la magie des lieux. On visitera les églises et les musées les jours de pluie. » Comme il faisait un temps splendide, elles déambulèrent, bras dessus, bras dessous, dans les petites rues en direction de la *piazza San Marco*. À l'instant où elles franchissaient un *ponte*, un *campo*, une *calle*, Mathilde avait droit à des informations souvent inusitées que même les guides ne semblaient pas connaître ou préféraient ne pas divulguer aux touristes.

Lorsqu'elles furent arrivées à destination, Mathilde resta bouche bée. Elle n'avait jamais rien vu de pareil. Même si elle avait consulté une multitude d'ouvrages avant son départ, ceux-ci ne l'avaient pas préparée à ce qui se présentait devant ses yeux. Le soleil faisait briller les ors de l'imposante basilique aux cinq dômes. Le campanile, qui se dressait haut dans le ciel bleuté et semblait toucher les nuages, et le palais des Doges, habillé de dessins en marbre rose sur sa façade supérieure avec ses multiples colonnes et ses festons de dentelle, emplissaient le regard de majesté. Mathilde fit quelques pas au centre du quadrilatère irrégulier bordé d'arcades qui abritaient cafés, terrasses et boutiques. Tout était somptueux. Pour couronner l'ensemble, à la Torre dell'Orologio, l'horloge sonna l'heure. Une volée de pigeons envahit l'espace et enveloppa les deux femmes au passage. C'était comme si Mathilde avait reçu un coup de poing en plein cœur. Elle tenta de respirer profondément pour retrouver son calme. C'était donc ça, Venise !

Pour sa part, Paméla était contente qu'il y ait, sur la *piazza*, plus de pigeons que de touristes. Le froid les faisait fuir. Elle fit remarquer à Mathilde que la fameuse horloge de la place Saint-Marc n'indiquait pas seulement les heures, mais aussi les phases de la lune et les signes du zodiaque.

— Il y a une légende à propos de ses concepteurs. On dit qu'on les aurait rendus aveugles après la réalisation du mécanisme de l'horloge pour qu'ils ne puissent pas en fabriquer de semblables dans d'autres villes.

Elle proposa de s'asseoir au café Florian pour que Mathilde se remette de ses émotions et pour qu'elle-même puisse se reposer les jambes.

— Il est impensable de venir à Venise et de ne pas s'installer à la terrasse du Florian. Les plus grands y sont venus : Musset, George Sand, Proust, Byron, Verdi, Casanova... et nous ! déclara Poppy.

— Et ça doit coûter pas mal de sous, tout ça.

— Peut-être. Mais ce n'est pas un chocolat ou deux qui va me ruiner. Et je m'en fous ! Je n'ai personne à qui laisser mon argent une fois que j'aurai disparu. Aussi bien le dépenser maintenant. C'est moi qui invite !

Mathilde admira le raffinement de la table. Le blason du *caffè* Florian était même dessiné sur les pochettes de sucre. Si ce n'était pas du luxe, ça ! Lorsque le serveur s'approcha, Poppy commanda quelques *tramezzini* et deux *ciocccolate*. Le tout arriva sur un plateau d'argent, dans de jolies tasses en porcelaine. Le chocolat était épais à souhait et couronné de mousse onctueuse. Mathilde fut étonnée de voir que les petits sandwichs que son amie avait commandés n'étaient autres que des sandwichs « pas de croûte », mais de luxe, qu'elle trouva délicieux. L'orchestre qui venait de s'installer entama un vieux classique. Deux touristes se mirent à danser sur la place. La musique faisant partie de la note, il fallait en profiter. Ce qu'elles firent, se remplissant le ventre et les oreilles de délices.

Paméla expliqua à Mathilde que la place San Marco était la seule dans Venise à mériter le nom de *piazza*. Les autres places n'étaient que des *campi*, pluriel de *campo*. Témoin privilégié de la vie de Venise depuis des siècles, cette place avait été le cadre des cortèges, des processions, des carnavals.

— Napoléon la surnommait «le plus élégant salon d'Europe». La prochaine fois, on viendra en soirée. C'est… Il n'y a pas de mots. On s'offrira un prosecco ou un spritz. À la tombée du jour, cette place est unique.

Lorsqu'elles quittèrent les lieux en longeant le palais Ducal, Paméla attira l'attention de Mathilde sur la série de colonnes de l'étage supérieur.

— Observe bien. Tu ne remarques pas quelque chose de particulier?

Mathilde eut beau chercher, elle ne trouvait rien qui semblait sortir de l'ordinaire.

— Peu de gens remarquent qu'il y a deux colonnes roses parmi toutes les blanches. Regarde, vers la gauche.

Poppy joignit le geste à la parole.

— C'est là que se tenait le doge lors des cérémonies. Ces deux colonnes roses lui servaient de repères. C'est là également que les sentences des condamnés à mort étaient annoncées à la foule. Le rose évoquait la couleur du sang.

Mathilde l'avait déjà deviné, mais elle comprit à ce moment-là qu'elle ne s'ennuierait jamais en compagnie de ce véritable puits de connaissances qu'était Poppy.

Elles se dirigèrent vers les quais pour prendre le *vaporetto*, et Mathilde ne manqua pas d'admirer les deux immenses colonnes de granit rapportées de Constantinople faisant face au Grand Canal. À leur sommet reposaient d'un côté le lion ailé en bronze représentant saint Marc l'évangéliste et, de l'autre, saint Théodore en bronze terrassant un dragon ; les deux patrons de Venise. Elle apprit de Poppy qu'au départ il devait y avoir trois colonnes, mais que lors du trajet du bateau vers le débarcadère l'une d'entre elles était tombée dans le canal, et on ne l'avait jamais retrouvée. Mathilde s'engagea entre les colonnes, mais elle fut retenue par Poppy qui lâcha un petit cri.

— Malheureuse ! dit-elle avec emphase. Il ne faut surtout pas passer entre ces deux colonnes. Un vrai Vénitien ne ferait jamais ça. Ça attire la malchance !

— Pourquoi ? demanda Mathilde.

— Autrefois, c'était le lieu des exécutions capitales.

Elles contournèrent donc les colonnes… Il valait peut-être mieux croire à la superstition et agir en vraies Vénitiennes !

18

Ce jour-là, avant de rentrer à l'appartement, elles allèrent acheter le visa de transport qui permettait d'obtenir des rabais pour les *vaporetti* et les visites de musées et d'églises. Elles n'étaient pas les seules ; la longue file de gens était composée en majorité de touristes – des Australiens, des Espagnols et des Anglais –, mais également de quelques Vénitiens qui attendaient patiemment que la préposée ait terminé avec les précédents. Mais la véritable tour de Babel semblait se trouver derrière le guichet. Tout avait l'air compliqué et d'une lenteur à faire bâiller. En Nord-Américaine habituée à l'efficacité, Mathilde s'étira le cou à plusieurs reprises pour voir où les choses en étaient. Au rythme où la dame s'exécutait, ce ne serait pas demain la veille qu'elles seraient servies. D'habitude tolérante, Mathilde ne se reconnaissait pas. Il faut dire qu'elle trépignait de hâte de découvrir la ville. Elle prit finalement son mal en patience, se disant qu'après tout elle était en vacances pour tout un mois et que ces heures perdues à attendre n'étaient que peu de chose en comparaison des semaines qu'il lui restait à vivre à Venise. Elle en profita pour fermer les yeux et se délecter de la conversation des Italiens qui la précédaient.

— Tu es fatiguée ? lui demanda Poppy.

Mathilde désigna le couple qui la devançait et dit à cette dernière à quel point leur langue ressemblait pour elle à la plus jolie des mélodies. Elle ne s'en lassait pas.

Quand arriva enfin leur tour, Poppy et Mathilde présentèrent leurs passeports à la préposée, durent remplir certains papiers et payer la caution. Puis la femme prit leur photo avec un minuscule appareil, en restant derrière la vitre de son cagibi ; elle inséra ensuite la photo d'identité dans une carte plastifiée à leur nom. Poppy trouvait la chose assez ingénieuse ; cet exercice, même s'il leur avait fait perdre un temps fou, leur en ferait dorénavant gagner, en plus de leur faire épargner de l'argent. Une fois à l'écart de la file, lorsqu'elles regardèrent le résultat, elles ne purent s'empêcher de hurler de rire. Comme elles étaient toutes deux de petite taille, la barre de bois horizontale qui séparait en deux les vitres du guichet leur arrivait en plein visage.

— Heureux les grands qui peuvent se reconnaître entièrement ! s'exclama Poppy.

Dans leur cas, on ne voyait qu'une partie du front, le nez et le menton. Il semblait que, même sur certaines cartes d'identité, Venise se portait masquée.

Elles montèrent à bord du *vaporetto* en glissant la fameuse carte devant l'appareil prévu à cet effet. Et chaque fois qu'elles auraient à le faire, les deux voyageuses incognitos qu'elles étaient devenues ne pourraient s'empêcher de sourire.

Mathilde et Paméla s'offrirent le grand tour afin d'étrenner leur nouveau laissez-passer de *vaporetto*. Une fois à bord, elles se faufilèrent pour s'asseoir à l'avant afin de ne rien manquer de la vue qu'offrait le Grand Canal. Le soleil commençait à décliner et donnait au paysage des allures d'incendie. Les toits des *palazzi* semblaient en feu. À chaque détour, un tableau de Turner apparaissait devant elles. Au départ de San Zaccaria, elles purent admirer, à partir de l'eau, San Marco d'un côté puis, posée comme un confetti sur l'eau, l'île de San Giorgio Maggiore, aussi surnommée l'île des Cyprès, sa magnifique basilique et son monastère, et de l'autre côté, la Giudecca, dont le nom signifie littéralement «jugement», île sur laquelle, à une autre époque, les familles nobles opposées au pouvoir en place et bannies de Venise s'étaient réfugiées. Aujourd'hui, elle est presque essentiellement une zone résidentielle pour amateurs de tranquillité, de laquelle il est agréable d'admirer Venise. C'est là également que se cache le fameux hôtel Cipriani, où George Clooney et autres stars fortunées ont leurs quartiers. Promesse d'une balade future.

Mathilde respirait à grandes goulées. Toutes ces splendeurs lui procuraient un calme qu'elle n'avait pas beaucoup connu ces dernières années. La présence joyeuse de Paméla lui faisait le plus grand bien. La lagune s'étalait devant leurs yeux. Elles découvrirent la pointe de la Dogana, l'arrière de la Salute, les *Zattere*, ces larges trottoirs où il fait bon flâner et prendre un café, presque les pieds dans l'eau, en admirant la Giudecca située en face sur l'autre rive. Le *vaporetto* filait entre les *bricole*, ces *pali* ou poteaux de bois qui orientent la navigation et servent souvent de perchoir aux mouettes. Elles purent voir, au passage, un immense bateau de croisière amarré à la gare maritime. Paméla et Mathilde discutèrent de la polémique entourant la présence de ces grands pollueurs.

— Les habitants continuent de leur faire la guerre, précisa Poppy. Venise est si fragile. Pourquoi en rajouter !

Délaissant la lagune pour la Pizzale Roma, le *vaporetto* reprit le chemin du Grand Canal où le soleil avait déjà tiré sa révérence. Comme les propriétaires des *palazzi* ont l'habitude de laisser les plafonniers – en verre de Murano, il va sans dire – allumés la nuit, les touristes purent se délecter de la vision des plafonds ouvragés et peints par de grands maîtres. Ivres de vents et de beauté, Mathilde et Poppy descendirent à l'arrêt de l'Accademia. Elles firent une pause toilettes obligatoire près du pont, avec une dame pipi – ces gardiennes qui voient à la propreté des lieux et qui vous tendent, en échange de quelques euros, un bout de papier hygiénique – imposante et qui n'entendait visiblement pas à rire. Lorsqu'elles traversèrent le pont de l'Académie pour se rendre dans leur quartier, il faisait nuit noire sur Venise. Elles s'arrêtèrent à mi-chemin du pont de bois. Au loin, la Salute, cette vaste église au style baroque, monument phare qui se dresse sur la pointe de la Dogana, offrait aux flâneurs un paysage sublime dont on ne se lasse jamais. La richesse de ce décor quasi irréel fit monter les larmes aux yeux de Mathilde. Elle s'excusa auprès de son amie.

— C'est plus fort que moi. C'est tellement beau que j'ai tout le temps envie de pleurer. Et ce n'est pas de chagrin.

Puis elle ajouta en riant qu'elle devait arrêter ça au plus vite.

— Ce n'est pas comme s'ils manquaient d'eau, ici !

En réponse à cela, Poppy rassembla dans sa mémoire des vers de Louis Aragon :

— « Et la lumière se divise à l'arc-en-ciel rompu des pleurs. Nulle part le cœur ne se brise comme à Venise, la douleur chante la beauté de Venise afin d'y taire tes malheurs… »

Elles restèrent un moment à s'imprégner de ces paroles tout en admirant le panorama, voyageant toutes deux dans leurs pensées. Paméla goûtait cet instant volé au temps, tandis que Mathilde songeait à ce qu'elle avait laissé derrière elle. À sa mère si peu encline à aimer la vie. À sa petite sœur aussi, qu'elle avait maintenant hâte de retrouver.

Puis elles trottinèrent bras dessus, bras dessous vers leur *palazzo* pour faire une courte sieste.

La journée les avait éreintées, mais rendues tellement heureuses. Lorsqu'elles se réveillèrent, la soirée était déjà avancée. Dur, dur le « décalage horreur », comme avait coutume de dire Poppy. Mathilde sortit du frigo tout ce qu'il fallait pour manger la salade de tomates accompagnée de *bufala*. Elle trouva dans les placards un bon vinaigre balsamique ainsi que de l'huile d'olive, vestiges du précédent locataire. Il restait un peu de pain de la veille, mais pas de sel ni de poivre. Mathilde savait qu'une telle salade sans assaisonnement ne goûterait pas grand-chose. Elle proposa à Paméla de sortir pour voir si elles ne trouveraient pas un commerce ouvert à cette heure. Et pourquoi ne pas acheter une pointe de pizza quelque part ? Elles avaient toutes deux le ventre creux. Marcher de la sorte ouvre l'appétit. Poppy décréta qu'il était inutile de s'habiller pour cette course à la sauvette. Mathilde protesta : et si quelqu'un s'apercevait qu'elles étaient vêtues de leurs pyjamas ?

— Voyons, ma petite Mathilde ! Il faut vivre dangereusement. Tu ne connais pas l'excitation d'outrepasser les conventions ? Je crois que j'ai beaucoup de choses à t'apprendre pour parfaire ton éducation… Il n'est jamais trop tard pour mal faire.

Elle éclata de rire devant l'air scandalisé de Mathilde. Elle ajouta pour sa gouverne :

— Puisque Venise est une ville de carnaval perpétuel, autant en profiter. Dans le siècle dernier, il durait plus de six mois par année. C'est dire si l'habit ne fait pas le moine !

Pour rassurer Mathilde, Poppy ajouta qu'il ne pouvait rien leur arriver de grave, à part mourir de rire si quelqu'un s'en apercevait.

Elles enfilèrent tout de même leur manteau sur leur tenue de nuit, échangèrent leurs pantoufles contre des chaussures et sortirent. Bien entendu, tout était fermé. Poppy eut l'idée de retourner au restaurant où elles avaient mangé la veille. Il était sur le point de fermer. Un des serveurs les reconnut et leur suggéra un endroit, à quelques rues, où l'on pouvait se procurer, même à cette heure, une pointe de pizza pour presque rien. Devant la gentillesse du jeune homme, Mathilde osa demander s'il pouvait leur refiler un peu de poivre et de sel pour leur salade. Poppy alla encore plus loin et demanda, avec son plus beau sourire, si elles ne pourraient pas acheter une carafe de vin. Le tout leur fut préparé.

Et personne ne sut que ces deux femmes se promenaient en pyjama dans une Venise endormie avec, au fond de leurs poches, des assaisonnements emballés dans du papier d'aluminium et, dans leurs mains, du vin qu'on avait fait couler dans une grande bouteille en plastique qui avait contenu du Coca-Cola.

19

Poppy, qui préférait vivre Venise *piano piano*, dormait encore lorsque Mathilde franchit la porte du *palazzo*. Elle avait réalisé que les longues marches, les multiples ponts à monter et à descendre, l'humidité qui venait de s'installer, tout cela contribuait à épuiser Paméla. Comme c'était sa toute première visite à Venise, Mathilde, pour sa part, était avide de connaître cette ville par cœur, de la parcourir de long en large, de découvrir ses secrets. Pour une fois qu'elle avait l'occasion de vivre l'instant, de le savourer, elle n'allait pas s'en priver. Bien au contraire, elle y prenait goût et se demandait souvent pourquoi elle avait perdu tout ce temps à s'occuper de tout un chacun en s'oubliant totalement. Elle se passait donc, quelquefois, de son guide officiel, pour le simple bonheur de sentir les choses à sa manière, quitte à devoir demander son chemin pour revenir au *palazzo* si elle s'égarait. Ce qui était peine perdue. Paméla lui avait fait part de ses réflexions sur le sujet, et Mathilde avait pu constater par elle-même ce qui en était. « Chaque fois qu'on demande la direction à prendre à un Vénitien, il nous indique toujours d'aller tout droit, en ajoutant, de manière impatiente, le geste à la parole : "Tout droit. Allez tout droit, c'est tout droit !" Jamais à gauche ni à droite ! Jamais ! »

Avant de franchir la grille, Mathilde s'arrêta dans la cour et nourrit Chibou, nom qu'elles avaient donné au lapin qui broutait dans le jardin, en souvenir de Jennifer, la sœur de Poppy, qui avait pris l'habitude, enfant, de donner ce nom à toutes les bêtes qui les avaient accompagnées dans leur vie. « Ça allait autant au chien qu'à la tortue. Pourquoi pas au lapin ? » En levant les yeux vers la terrasse du dernier étage, où de grands pans de rideaux battaient au vent, Mathilde aperçut un jeune homme élancé, enveloppé dans une couverture, qui regardait au loin. Il ne semblait pas conscient de sa présence. Est-ce que le comte, propriétaire de l'appartement qu'elles louaient, était de retour ?

Elle quitta la cour et emprunta la *calle* Mocenigo pour ensuite aller se perdre dans Venise, dédale de ruelles, de ponts et de culs-de-sac. Elle en avait vite fait le constat : les numéros sur les portes ne se suivent pas et ne se rapportent pas à la rue, mais au quartier. Pas de côté pair ni de côté impair. Les Vénitiens se réfèrent d'abord au *sestiere*, puis au numéro, avant de trouver la rue. Mathilde le savait maintenant, Venise compte six *sestieri* ayant chacun son atmosphère propre, ses curiosités et ses secrets. Différents les uns des autres, ils méritaient tous qu'on les découvre. Elles avaient déjà exploré les alentours de San Marco, cœur de la cité et quartier le plus fréquenté par les touristes grâce à sa *piazza*, son palais des Doges, ses musées et La Fenice, mais il y avait tous les autres : San Polo et Santa Croce, où la découverte des *palazzi* qui bordent le Grand Canal est le point d'orgue de la visite de ces deux *sestieri*, mais également pour le marché aux poissons du Rialto ; Dorsoduro, quartier qui est resté jeune, puisque fréquenté par tous les étudiants, sa Dogana, douane de mer, et la Salute ; Cannaregio, où plus d'un tiers des Vénitiens vivent, pour son axe piéton qui relie la gare ferroviaire au pont du Rialto et pour son ghetto juif. Castello, le plus grand quartier de Venise, avec son Arsenal, ses chantiers navals, son pont des Soupirs, ses jardins publics. Il lui restait tout à voir, tout à découvrir. Un frisson de plaisir lui parcourut l'échine à cette perspective.

Comme cette ville savait se parer de mystères ! Pas facile de s'y retrouver, très facile de s'y perdre. Venise était restée, au fil des siècles, un sublime labyrinthe au cœur duquel les Vénitiens et certains voyageurs aimaient s'égarer. Les autres préféraient s'en tenir aux lieux fréquentés par les touristes, aux rues bordées de boutiques, délaissant ainsi la joie des pérégrinations.

Au cours de ses promenades en solitaire, Mathilde s'était fait un devoir d'apprendre les mots relatifs aux rues, aux places, aux rives. Ainsi, elle savait qu'on appelle une rue *calle*, le canal *rio*, la place *campo*; que les *fondamente* sont des rues qui longent un canal, qu'un *rio terra* ou *una piscina* sont un ancien canal qu'on a comblé. Elle adorait emprunter les *sotoportegi*, ces passages étroits et couverts.

Mais même en sachant cela, il lui était toujours difficile de se repérer à Venise. « Per San Marco – Per Rialto » étaient, semblait-il, les seules indications – gravées sur des plaques peintes en jaune – que la cité ducale daignait donner comme repère aux voyageurs. C'était un peu comme une invitation à l'errance, une sorte de jeu de piste qui n'était pas sans déplaire à Mathilde. Tout était tellement différent de sa vie d'avant.

Depuis quelques jours, la température avait chuté. Après tout, on était en novembre. En cette saison plus tempérée aux journées souvent grises, on entendait de moins en moins le bruit des roulettes des valises des touristes sur les pavés et on était moins dérangés par le flash de leurs appareils photo. Aux yeux de Mathilde, Venise lui appartenait davantage. Le soleil avait fait place à une petite pluie fine, et les premières brumes vénitiennes venaient de s'installer sur la lagune. On donne à cette période le joli nom de *tristitude.* Mathilde était d'avis que ces lambeaux de brume qui se détachaient du ciel ne traînaient aucune amertume avec eux, bien au contraire. Ils enveloppaient les palais, les rives, les gens d'une écharpe de lumière toute particulière. Elle se sentait, elle aussi, protégée de son passé et du mauvais sort qui se serait abattu sur elle si elle était restée prostrée dans sa vie étriquée.

Ce matin-là, à l'abri sous son chapeau de pluie, elle s'aventura dans les rues avoisinantes du *palazzo* Mocenigo – leur *palazzo*! –, où elle fit de jolies découvertes. Un pont ouvragé, des pots de fleurs à un balcon, le souvenir d'une fresque sur un mur, un chat derrière une fenêtre. Puis elle flâna sur la place Santo Stefano, l'une des plus vastes de la ville. Poppy lui avait dit qu'autrefois on y organisait des bals, des carnavals et des combats de taureaux jusqu'en 1802. Une tribune s'était d'ailleurs effondrée cette année-là, provoquant la mort de nombreux spectateurs. Aujourd'hui, le *campo* était entouré de cafés et de terrasses tous plus gais les uns que les autres. Des gens s'y trouvaient attablés même par ce temps de grisaille. Des enfants venaient s'y promener sur leur *monopattino*, ces trottinettes à trois roues, ou jouer au ballon.

Mathilde contourna l'immense statue du *campo* et se dirigea vers le *campiello* Pisani. Elle découvrit un imposant bâtiment de marbre qui avait été autrefois totalement blanc, mais qui arborait à présent de grandes coulisses noires, comme des larmes de suie, vestiges de l'usure du temps. Ce joyau d'architecture enchâssé entre d'autres bâtiments et presque caché à la vue des passants se situait dans une cour fermée. Le *palazzo* était imposant avec ses immenses portes noires et ses statues grises. Alors qu'elle admirait la majesté du palais, elle fut surprise d'entendre en provenance des immenses fenêtres, pourtant fermées, un air de musique interprété par des instruments à cordes. Elle eut droit à un concerto de Vivaldi. En voyant plusieurs jeunes étudiants y entrant et en sortant, leurs instruments sous le bras, et après avoir vérifié dans son guide, elle comprit que le *palazzo* Pisani abritait le conservatoire depuis la fin du XIXe siècle. Elle regarda autour d'elle et s'aperçut qu'elle était seule à jouir de ce concert gratuit. La musique l'enveloppa tout entière. Elle se laissa bercer par les envolées mélodieuses. C'était comme si une main réconfortante et familière s'était posée sur sa poitrine. Elle sentit un grand calme l'envahir et l'apaiser totalement et resta là sans bouger un long moment. Puis un homme arriva de la place, s'adossa à un mur en face du bâtiment et ferma les yeux derrière ses lunettes cerclées d'argent. Il tenait à la main une minuscule tasse blanche. Apparemment, il se délectait de la musique tout autant que de son café, qu'il buvait à petites gorgées. L'homme n'était pas imposant, mais pas malingre pour autant. Assez costaud, il portait une veste foncée, sur laquelle une fine couche de poussière semblait s'être installée à demeure. Il avait le teint mat, les cheveux noirs, légèrement grisonnants sur les tempes. Quand la musique s'arrêta, il ouvrit les yeux et se rendit compte qu'il avait de la compagnie. Il se tourna vers Mathilde et lui fit le plus lumineux des sourires, auquel elle répondit, un peu gênée. Il regarda sa montre, puis quitta la place en sifflotant quelques-unes des phrases musicales qu'il venait d'entendre. Voilà un geste, une musique, un sourire qui avaient fait la journée de Mathilde. Elle retrouva facilement sa rue, fit les courses sur le chemin de l'appartement et retourna trouver Poppy, qui devait être debout à cette heure. Comme Venise était délicieuse !

20

Maintenant qu'elle était bien reposée, Paméla avait préparé tout un programme pour la journée. Elles exploreraient le quartier du Dorsoduro qui se trouvait sur l'autre rive, en face de leur *palazzo*. Mais avant toute chose, elle voulait initier Mathilde à un nouveau moyen de transport. Elles se rendirent à l'arrêt du *vaporetto* San Samuele, à deux pas de chez elles. Puis Poppy entraîna Mathilde vers un minuscule débarcadère voisin. On pouvait lire *Traghetto* sur l'enseigne.

Elle expliqua à son amie que ces *traghetti*, ces gondoles qui ne servaient pas aux balades, mais assuraient plutôt la traversée du Grand Canal en sept points différents, épargnaient bien des pas aux usagers.

— Ce sont presque essentiellement les habitants de Venise qui les utilisent.

Au lieu de faire de longs détours par les ponts qui franchissent le Grand Canal – il n'y en a que quatre : le pont de l'Académie, le Rialto, le pont degli Scalzi, près de la gare, et le pont della Costituzione, qui mène à Mestre, sorte de banlieue de Venise –, on n'a qu'à monter à bord d'un *traghetto* pour atteindre l'autre rive en quelques coups de rames. Pour ce faire, il suffit d'une ou deux pièces seulement, et d'un minimum d'équilibre. On se tient généralement debout; le Vénitien a le pied marin, et la traversée prend peu de temps. En jetant un coup d'œil sur l'eau, Mathilde vit la barque qui s'approchait. Trois ménagères s'y tenaient effectivement bien droites, leurs sacs de courses à leurs pieds, en compagnie de deux hommes d'affaires, mallette à la main. Lorsque tout ce beau monde fut descendu, Paméla et Mathilde s'y installèrent. Cette dernière était inquiète au début, mais comme elle était aidée par l'un des rameurs, elle prit de l'assurance et trouva le court trajet fort agréable. Debout à l'avant, elle s'imagina figure de proue, protégeant l'embarcation des vents contraires et des embruns.

Une fois sur l'autre rive, elles purent admirer la Ca' Rezzonico et son joli jardin. Elles longèrent ensuite la rive du *rio* San Barnaba. C'est là que Mathilde fit une découverte formidable. Amarrée en permanence près du *ponte* dei Pugni se trouvait une barque croulant sous les fruits et les légumes frais. Elle désirait tout essayer. Elle observa pendant un certain temps un homme, assis parmi les cageots vides, qui épluchait, à l'aide d'un couteau pointu, les feuilles de gros artichauts. Il ne gardait que le cœur entièrement nettoyé, qu'il plongeait ensuite dans un bassin d'eau froide. Elle se laissa tenter : ça ferait une salade succulente avec un filet d'huile. Elle acheta également un *radicchio rosso di treviso*, curieuse d'essayer ces feuilles de trévise, et, pour son plus grand bonheur, dénicha quelques *porcini* magnifiques qui sentaient encore la terre. Elle ferait revenir les têtes, les *capocchie*, dans de l'huile d'olive et les servirait parsemées de persillade. Les pieds feraient un délice dans une omelette. Paméla dut la retenir, sinon elle aurait tout acheté. Depuis son arrivée, Mathilde reprenait goût à la vie, et voulait goûter à tout. Elle trouvait cette barque à légumes tellement plus agréable que les étals métalliques des épiceries !

Chargées de leurs sacs, elles franchirent le pont dei Pugni. Poppy retint son amie un instant pour lui apprendre ce qu'elle connaissait de ce *ponte*. Ce n'était pas le seul pont « des poings », à Venise, mais le plus célèbre, et elle lui fit remarquer quatre empreintes de pas gravées aux quatre coins dans la pierre. Elles signalaient l'endroit exact où se tenaient les belligérants des bandes rivales qui s'y affrontaient avant le début des hostilités. Et comme, à l'époque, les ponts n'avaient pas de garde-fous, il n'était pas rare que les combattants se retrouvent dans le canal. Ces joutes, de plus en plus meurtrières, avaient été interdites en 1705.

Elles arrivèrent aux abords du *campo* Santa Margherita pour y trouver un petit marché ambulant : étals de poissons, de homards, d'anguilles et de coquillages, d'autres étals de fruits et de légumes, et tout autour de jolies maisons, des cafés et des terrasses. Paméla suggéra qu'elles y reviennent plus tard pour prendre l'apéritif. Chemin faisant, elles passèrent devant une quincaillerie qui exposait à l'extérieur des chariots sur roulettes pour faire les courses. Craignant de faire « trop mémé », Mathilde hésita à se procurer ce *carello*, qui s'avérerait pourtant bien utile. Elle céda quand Paméla lui fit remarquer que les Vénitiens en possédaient tous. « Ils mettent tout là-dedans. Leur imper, leur parapluie, leurs documents, les courses et parfois même leurs enfants quand ils sont petits ! » Elle en choisit un rouge qui servirait durant tout le voyage. De cette manière, Poppy n'aurait pas à traîner des sacs, son appareil photo, son manteau devenu trop chaud, son parapluie. Elles entrèrent allumer un cierge à l'église Santa Maria dei Carmini et admirèrent dans la Scuola du même nom le plafond peint par Tiepolo, composition vibrante de lumière.

Elles s'enfoncèrent un peu plus dans le Dorsoduro et prirent du bon temps à marcher sur les *Zattere* – ces longs trottoirs autrefois en bois, d'où leur nom, qu'elles avaient pu admirer à bord du *vaporetto* et qui donnaient à voir la Giudecca, de l'autre côté de la lagune. Elles prirent le temps de s'asseoir pour boire un café. La brise était bonne, la température était clémente et elles contemplèrent le paysage. Mathilde réalisait le bonheur qui était le sien depuis quelques jours. Il était composé de temps, de calme, de rires et de vues imprenables. Que demander de plus à la vie ? Puis elles se rendirent dans le *squero* di San Trovaso, l'un des trois derniers ateliers où l'on fabrique encore des gondoles. Même si le *squero* n'est pas accessible au public, il leur fut possible, depuis l'extrémité du *rio* San Trovaso, d'apercevoir des gondoles retournées, dans l'attente d'être nettoyées ou calfatées. On y répare la majorité des quatre cents embarcations en service. Avec sa verve habituelle, Poppy donna quelques indications sur la fabrication des gondoles. Mathilde fut étonnée d'apprendre qu'elles étaient construites entièrement à la main, de neuf bois différents, et que cette technique existait depuis 1880. Malheureusement, on n'en fabrique guère plus qu'une dizaine par année.

Mathilde apprit qu'il y avait les gondoles funéraires, celles pour les mariages et celles aussi qui servent pour les compétitions ; les rameurs y participent en tandem ou en équipes de six. Lors des cérémonies, on ressort les traditionnels *felze*, petites cabines noires, pour y installer des fleurs et se soustraire aux yeux des passants.

Alors qu'elles étaient à nouveau assises à une terrasse – les jambes fatiguées de Poppy rendaient ces pauses obligatoires –, celle-ci entreprit de dessiner sur le napperon en papier le *ferro* métallique, qui fait office de contrepoids à la proue de la gondole. Le haut évoque le bonnet ducal que porte le doge de Venise, sa forme en S inversé représente le Grand Canal, les six dents métalliques argentées symbolisent les six *sestieri* de Venise, et celle qui est à l'opposé, la Giudecca. Le cercle qui se trouve au-dessus des lignes symbolisant les quartiers signifie soit le Rialto, soit le dôme de la basilique San Marco. Mathilde conserva précieusement ce dessin.

Elles marchèrent encore longtemps alors que le jour déclinait. Elles se rendirent jusqu'à la pointe de la Dogana, l'ancienne douane de mer abritant aujourd'hui la Fondation François Pinault, qui a transformé les locaux en musée d'art contemporain. Mathilde n'en finissait plus d'admirer la sculpture qui coiffait la pointe du bâtiment : deux Atlas supportant une énorme boule dorée surmontée d'une girouette symbolisant la Fortune. Elles passèrent ensuite devant la magnifique cathédrale de la Salute, et de petits ponts en rues très étroites se retrouvèrent devant les jardins de la Fondation Peggy Guggenheim, qu'elles se promirent bien de visiter. Elles atteignirent le pont de l'Académie et le musée qui lui fait face, autre promesse de visite. Au lieu de traverser le pont pour rentrer chez elles, elles trouvèrent assez de force pour retourner au *campo* Santa Margherita, qui serait très animé, avait assuré Poppy. Elles firent un arrêt à la librairie Toletta, et Mathilde succomba aux images d'un livre de recettes vénitiennes et se procura un ouvrage, écrit en français, sur les débuts de l'imprimerie à Venise, qui lui en apprendrait beaucoup sur la passion de son père, tandis que Paméla ne résista pas au charme d'un recueil de nouvelles : *Le Chat du typographe*, *et autres histoires vénitiennes*, d'un certain Bernard Cunéo. Lorsqu'elles arrivèrent sur le *campo* pour s'attabler à une terrasse, en plus d'y trouver l'habituel cortège d'étudiants qui étaient venus en grand nombre y casser la croûte ou prendre un verre, elles furent assaillies par un vacarme assourdissant. Une bande d'enfants vénitiens se promenaient sur la place en tapant sur des couvercles et des casseroles avec des cuillères en bois. Ils entraient dans les boutiques et les magasins, où ils chantaient à tue-tête une comptine en poursuivant de plus belle leur tapage. Poppy se rappela que l'on fêtait ce jour-là la Saint-Martin. Elle expliqua que, pour faire arrêter le boucan et se débarrasser des enfants au plus vite, les commerçants s'empressent de leur donner des friandises et des pièces de monnaie. C'est entourées de ce joyeux tintamarre que Mathilde et Poppy dégustèrent leur premier – mais non leur dernier – spritz, la boisson préférée des Vénitiens.

21

À peine reposée de la clameur de la veille, Mathilde s'était assise carrée dans son lit. Est-ce qu'elle avait trop bu? Est-ce qu'elle rêvait encore? Une alarme, qu'elle avait d'abord perçue dans son sommeil et qu'elle entendait clairement maintenant qu'elle était bien éveillée, retentissait et ne montrait aucun signe d'essoufflement. C'était assourdissant. La sonnerie, avec ses coups répétés par groupe de deux ou trois sons stridents, ressemblait à s'y méprendre aux alertes militaires qui avertissaient la population de se rendre aux abris pour éviter les bombes, en temps de guerre. N'ayant jamais connu la chose, Mathilde basait sa réflexion surtout sur les reportages ou les films qu'elle avait visionnés. Elle essayait vainement de comprendre de quoi il s'agissait. L'agent de location lui avait bien précisé qu'il n'y avait pas de système d'alarme dans l'appartement. Elle se leva et se dirigea vers la fenêtre. Peut-être que ce boucan venait d'un bateau-ambulance ou d'un bateau de pompier? Il faisait nuit noire, et le Grand Canal était vide. Poppy semblait dormir sur ses deux oreilles. Mathilde fit quelques pas vers l'entrée de l'appartement et poussa un cri de mort en sentant quelque chose de glacé sur ses pieds. Elle se dépêcha d'ouvrir le commutateur pour constater qu'elle avait bel et bien les deux pieds dans l'eau.

Affolée, elle se rendit dans la chambre de Poppy. Cette dernière, finalement réveillée par le bruit des sirènes, s'assit dans son lit et dit quelque chose que Mathilde ne saisit pas. Puis la sirène s'arrêta d'un coup.

— *Acqua alta. Acqua alta*, répétait Paméla, d'une voix endormie.

— *Acqua* quoi?

— C'était la sirène de l'*acqua alta*. Les hautes eaux. Ça veut dire que les quais et les rues de Venise vont être envahis d'eau dans une couple d'heures.

— Poppy! Pas dans une couple d'heures, l'eau est déjà rendue dans l'appartement! Qu'est-ce qui se passe? C'est quoi ça, l'*acqua... lata*?

— *Acqua alta*, la corrigea Paméla. L'eau est vraiment dans l'appartement? demanda-t-elle, un peu plus réveillée, tout en enfilant sa robe de chambre et ses pantoufles.

Elles se rendirent dans la pièce principale. Malgré l'eau glacée qui lui sciait les chevilles, Mathilde ouvrit la porte de l'entrée qui menait au couloir, pour vérifier l'ampleur des dégâts. En provenance de la porte qui donnait accès au Grand Canal, l'eau envahissait une partie de l'immense corridor et s'infiltrait dans leur appartement, qui se trouvait aux abords du quai. Ce n'était pas énorme, mais la poussée continuait de pénétrer à l'intérieur.

Poppy alla s'installer sur le divan en pliant ses jambes contre sa poitrine.

— J'espère que ça ne sera pas pire que l'*acqua alta* du 4 novembre 1966. Tu te rends compte ? Cent quatre-vingt-quatorze centimètres, cette fois-là ! Des dégâts considérables. À cette époque, la planète entière se préparait à l'engloutissement de Venise.

Non, Mathilde ne se rendait pas compte, elle ne savait même pas ce qu'était l'*acqua alta*. Poppy, tout à fait zen devant l'événement, continua de réchauffer ses pieds gelés tout en la mettant au parfum. Cette montée des eaux, qui a lieu lors des grandes marées de novembre et de décembre, et parfois en janvier et en février, déstabilise la cité pendant quelques heures, mais elle n'empêche pas les habitants de Venise de vaquer à leurs occupations habituelles. Les écoles et les commerces restent ouverts. Ce phénomène est causé par les pics de marées hautes dans la mer Adriatique, des fortes pluies ou des vents contraires qui poussent la mer vers la lagune. La montée des eaux fait partie intégrante de la vie des Vénitiens. Ils se munissent de longues bottes pour pouvoir circuler. Ils installent également de larges passerelles en bois surélevées sur des supports métalliques pour assurer les trajets au sec et, après, ils nettoient les dégâts. La population est avertie par les sirènes, qui émettent deux ou trois heures à l'avance des sons distincts selon la hauteur des marées prévues.

— On va devoir s'acheter des bottes, conclut Poppy, que la chose semblait amuser.

Mathilde avait plus de difficulté à prendre l'incident à la légère.

— On va aussi devoir nettoyer. Et je ne suis pas sûre que j'ai envie de demeurer dans un appartement dans lequel je risque de me noyer…

— D'ici quelques heures, l'eau aura descendu et tout sera à nouveau sec. C'est une question de marée et de lune. Ce n'est pas pour rien que les planchers des rez-de-chaussée sont en marbre ou en terrazzo ! C'est quand même toute cette eau qui endommage le plus les *palazzi*, qui gruge lentement Venise. Ils ont bien essayé d'ajouter des plaques de métal amovibles au bas des portes, pour empêcher l'eau de pénétrer dans les rez-de-chaussée, mais elle s'insinue partout. Il faut s'armer de bottes, de torchons et de patience.

Puis, constatant qu'il n'était que cinq heures du matin, elle suggéra à Mathilde d'aller se recoucher. Elle était convaincue que l'eau ne monterait pas davantage dans l'appartement. Et elle retourna dans sa chambre, comme si de rien n'était. Mathilde n'en revenait pas. Puisque tout danger était écarté, au lieu de retourner dans son lit, elle décida plutôt d'aller se tremper dans un bain chaud pour réchauffer ses membres glacés. Comment avait-elle pu louer un appartement situé à portée de l'eau et ne pas savoir qu'il pouvait être envahi à tout moment? Elle se promettait bien de téléphoner dès que possible à l'agent de location ou, mieux encore, d'aller sonner à l'appartement du propriétaire pour le mettre au courant de la situation.

Paméla avait raison. Lorsqu'elle sortit du grand bain, l'eau s'était retirée de l'entrée. Il fallait tout de même faire quelque chose. Comment se faisait-il que l'agence ne l'avait pas mise au courant de cette menace? Au prix qu'elle avait payé la location, elle exigerait réparation ou demanderait à être relogée, où que ce soit, mais à un étage supérieur. Elle n'arrêtait pas de s'excuser auprès de Poppy, qui s'était levée. Après tout, c'était elle qui s'était occupée des réservations. Et dire qu'elle voulait faire une surprise à Paméla... Pour une surprise, c'en était toute une!

Vers neuf heures trente ce matin-là, après avoir pris leur petit-déjeuner, Mathilde et Poppy entreprirent de monter au dernier étage. Mathilde aurait préféré y aller seule, mais Poppy avait insisté pour l'accompagner au cas où les négociations se feraient en italien. Elles s'arrêtaient à chaque palier. Les poumons et les articulations de Mathilde constataient par eux-mêmes que les *palazzi* étaient vraiment d'une hauteur incroyable. Ils n'étaient constitués que de trois ou quatre étages, mais les plafonds étaient si élevés qu'elle avait la sensation de monter le double de paliers. Elle s'appliquait à compter le nombre de marches tandis que Poppy nommait les étages. Le *piano terra*, le *primo piano*, le *piano nobile*, également appelé à l'époque « le bel étage », où se trouvent les immenses baies vitrées, les *loggias* et les balcons. Les grands salons et les salles de bal ne servent plus beaucoup. C'est pourquoi, dans plusieurs *palazzi*, ils ont été subdivisés pour créer des appartements de dimensions imposantes. Elles arrivèrent enfin en haut, hors d'haleine, les genoux en compote, pour réaliser qu'il y avait une chaise dans laquelle on pouvait s'asseoir pour faciliter les montées et les descentes, une sorte de siège-ascenseur.

— Quatre-vingt-neuf marches. On vient de monter... quatre... vingt... neuf marches ! prononça avec difficulté Mathilde, qui cherchait à retrouver son souffle tout en frappant à la porte du propriétaire à l'aide d'un heurtoir en forme de tête de femme.

Elles attendirent un long moment. Mathilde espérait de tout cœur qu'elles ne seraient pas obligées de descendre et de monter toutes ces marches une deuxième fois, si elles n'obtenaient pas de réponse. Elles entendirent enfin des talons claquer sur le plancher en terrazzo derrière la porte et une voix joyeuse et tonitruante. Puis quelqu'un ouvrit. Elles se trouvèrent devant un homme d'un certain âge, qui avait dû être très beau dans sa jeunesse – ses traits délicats en faisaient foi. Il avait les cheveux noirs retenus par un ruban, il était vêtu d'un grand kimono somptueux et portait aux pieds des mules à talons hauts. Il poursuivait une conversation au téléphone, tout en leur faisant signe d'attendre une minute. Il gesticulait en battant des bras, ce qui écarta l'ouverture de son habit de soie, révélant du même coup une bonne partie de son anatomie ; l'homme ne portait pas de sous-vêtement et ses « bijoux de famille » étaient exposés aux regards. À défaut de refermer les pans de son kimono, il ferma prestement la partie pliante de son cellulaire. Mathilde baissa les yeux en rougissant tandis que Poppy ne put s'empêcher d'émettre un rire joyeux. Elle aimait l'effronterie de cet homme, qui lui rendit son sourire. L'attitude de cette petite vieille assez amusante n'était pas pour lui déplaire.

Plus tard, Paméla avouerait à Mathilde qu'elle décelait chez lui les mêmes traits que ceux de Casanova. Pour sa part, Mathilde lui trouvait une ressemblance assez frappante avec l'acteur Marcello Mastroianni. Ni l'une ni l'autre n'avaient tort, puisque ce dernier avait déjà pris les traits de Casanova au cinéma.

L'homme se présenta.

— *Mi chiamo Massimiliano Filipacchi.*

— *Piacere*, lui répondit Poppy en lui tendant la main.

Puis elle s'identifia à son tour, présenta son amie et expliqua la situation. Mathilde reconnut au passage quelques mots. *Acqua alta,* Québec, *appartamento…*

Se rendant compte de sa nudité, l'homme noua son kimono et les invita à entrer. Puis il s'adressa à ses locataires dans un français impeccable.

— Je suis désolé, chères dames. C'est rare qu'on ait l'*acqua alta* si tôt dans le mois de novembre. Mais bon! J'aurais dû interdire à l'agence de louer. Ne vous inquiétez pas, nous allons faire ce qu'il faut. Nous allons vous changer d'appartement.

Tout en faisant un clin d'œil entendu à Mathilde, qui s'empourpra de nouveau, il annonça qu'avant de leur préparer du café il allait revêtir des vêtements plus seyants pour accueillir deux voyageuses venues de si loin.

22

Plus tard dans la matinée, Paméla proposa à Mathilde d'aller se promener pour constater la situation de Venise, un jour d'*acqua alta*. Selon ses dires, il ne fallait pas rater cette fête. Le propriétaire leur avait suggéré dans un premier temps de se servir de la chaise-ascenseur pour redescendre au rez-de-chaussée et, dans un deuxième temps, d'aller s'approvisionner dans une armoire adjacente à la sortie, côté jardin. Elles y trouveraient des bottes de caoutchouc et des parapluies. Il allait également avertir l'agence de leur préparer l'appartement du deuxième, plus spacieux et plus luxueux, mais au même prix pour compenser les inconvénients. Poppy utilisa les services de la chaise-ascenseur en riant comme une enfant, tandis que Mathilde l'accompagnait à pied dans la descente.

Les bottes de caoutchouc étaient toutes trop grandes pour leurs pieds, mais les deux femmes y glissèrent les semelles intérieures retirées de leurs souliers de marche et mirent de gros bas, puis sortirent chaussées de la sorte. Une fois dans la petite rue, tout semblait comme les jours précédents.

C'est seulement aux alentours des quais que l'eau était encore présente, et sur certains *campi* où elle continuait de s'accumuler. Il fallait voir les gens ! Mathilde était ravie d'avoir accès à ces scènes inusitées. Les Vénitiens, chaussés de longues bottes de caoutchouc, ne prenaient même pas garde à toute cette eau. Ils vaquaient à leurs occupations habituelles d'un pas assuré. Les touristes, par contre, se sentaient assez démunis. La plupart d'entre eux étaient chaussés de bottes de plastique aux couleurs criardes qu'on pouvait acheter, pour presque rien, chez les marchands de journaux. Aux abords des commerces tenus par des Asiatiques, le prix des bottes gonflait au rythme de l'eau montante, ainsi que leurs sourires satisfaits.

Les deux amies se dirigèrent vers la *piazza* San Marco pour jouir du spectacle. Comme cette place est la plus basse de la cité, Poppy avait assuré à Mathilde qu'elles y trouveraient encore les effets de l'*acqua alta*. Elles eurent l'occasion de voir de tout sur leur parcours. Elles croisèrent des gens qui circulaient avec des sacs de plastique blancs aux pieds, pour se prémunir contre l'eau qui avait envahi les *calli*, d'autres étaient carrément pieds nus ou en tongs, malgré le froid. Deux jeunes garçons se tenaient par le bras en marchant à cloche-pied ; ils portaient chacun une botte dans un pied, tandis qu'ils gardaient leur autre pied nu dans les airs. Elles aperçurent même une femme qui tentait d'avancer, les pieds dans d'immenses sacs-poubelles qui lui montaient jusqu'à l'aine et qu'elle retenait à bout de bras. Tout le monde semblait prendre la chose en riant. Mathilde avait la sensation d'être à nouveau une enfant qui saute dans les flaques d'eau alors que c'est interdit. Venir à Venise et retomber en enfance les jours d'*acqua alta*! Elle était enchantée de cette balade en compagnie de Poppy. La *piazza* San Marco était un terrain de jeu fabuleux. Les pigeons, eux, allaient se percher un peu partout sur les colonnes, les statues, les balustrades. Les pieds des chaises métalliques des terrasses, vides de clients et serrées les unes contre les autres, donnaient l'impression d'être des centaines de pattes d'oiseaux échassiers dans l'eau. On pouvait dire que San Marco devenait, le temps de l'*acqua alta*, l'étang où s'abritaient flamants et hérons. Les moins aventureux ou ceux qui n'avaient rien pour se protéger les pieds circulaient sur les passerelles. Poppy et Mathilde continuèrent de marcher dans l'eau, qui avait considérablement monté. Elle frôlait à présent leurs genoux. Puis elles entendirent un gros «plouf» derrière elles. Elles se retournèrent pour découvrir une femme qui, ayant perdu l'équilibre, venait de tomber dans plus de soixante centimètres d'eau. Tous les gens autour ne purent s'empêcher de sourire, mais se précipitèrent tout de même pour la sortir de ce mauvais pas. Comme Venise était gaie, même les jours de mauvais temps!

À marcher près des canaux, Mathilde prenait conscience de l'effritement des maisons, des dommages causés aux fondations par l'envahissement de l'eau, de leur situation précaire. Certaines d'entre elles affichaient, en façade, de grandes fissures, ou alors elles penchaient dangereusement vers les canaux. Elle se tourna vers Paméla pour en savoir davantage. Cette dernière s'arrêta sur le pont qu'elles étaient en train de franchir et chercha un instant dans sa mémoire.

— Lord Byron, le poète anglais, a écrit quelque chose à ce sujet. Attends, attends. C'est dans le tiroir du bas… ça devrait remonter jusqu'à mon cerveau… Ah oui !

Poppy se mit à réciter avec ferveur quelques vers d'un poème.

— « Ô Venise ! Ô Venise ! Si moi, pèlerin du Nord, je pleure sur tes maux, que doivent donc faire tes enfants ? »

Elle lui apprit que les Vénitiens, même s'ils adorent vivre dans la Cité des eaux, se plaignent des travaux récurrents et hors de prix. Venise et ses réparations, c'est une histoire sans fin. Mais ils l'aiment d'amour, leur Sérénissime qui risque à tout moment de s'effondrer.

— Comme nous, finalement. Tu ne trouves pas ? ajouta Poppy. On s'effrite de partout. On perd des morceaux. La médecine essaie bien de nous rafistoler par de grands travaux, de nous remettre d'aplomb à coups de prothèses, une hanche en titane par-ci, un *pacemaker*, un genou en plastique par-là, une greffe de rein ou de poumon, mais ça aussi, c'est sans fin !

La vieille dame n'était pas triste lorsqu'elle abordait ce sujet, qui revenait souvent dans leurs conversations. Mathilde était également consciente qu'elle-même n'allait pas en rajeunissant, et cela l'inquiétait parfois.

— Un jour on va s'effondrer, on va couler doucement, nous aussi.

— Hep, pep, pep! C'est quoi, ce délire? Pas toi! Pas avec ta vivacité, rétorqua Mathilde.

«Pas tout de suite, en tout cas», pensa-t-elle. Mais elle ne put s'empêcher de penser à la réflexion qu'avait eue Paméla la veille, lors de leur passage à la Ca' d'Oro, devant une fresque dont les formes et les couleurs étaient en partie estompées. «Moi aussi, j'ai la sensation de m'effacer. Je vais bientôt disparaître, avait-elle dit. Bientôt, il n'y aura plus aucune trace de moi. Je ne serai qu'une image vague, altérée par les années.» Mathilde tenta d'atténuer ce fameux spleen qui, aux dires des poètes et amoureux de Venise, s'installe inévitablement dans le cœur de ses visiteurs.

— Poppy, c'est toi qui n'arrêtes pas de me répéter que «Venise tient bon et persiste». On peut y arriver également. Peut-être qu'on a les pieds dans l'eau, que nos fondations sont fragiles, mais la tête persiste à briller au soleil.

Poppy sourit à son amie. Elle se serra contre Mathilde qui semblait si solide, alors que son corps à elle était si frêle. Elles poursuivirent leur marche dans le dédale de rues étroites.

— Alors continuons d'en profiter, déclara Paméla, à nouveau guillerette. Et demande-moi tout ce que tu veux savoir, avant que je ne me rappelle plus de rien. Avant que Venise s'efface de ma mémoire.

Pour se faire pardonner les désagréments que Mathilde et Paméla avaient subis lors de l'*acqua alta*, le propriétaire du *palazzo* Mocenigo avait fait les choses en grand. Au retour de leur longue marche, elles avaient trouvé, en plus de l'appartement asséché et nettoyé, une enveloppe à leur nom sur le secrétaire de l'entrée. Elle contenait, sur un vélin de qualité portant les armoiries du comte, la promesse de les déménager le lendemain dans un appartement à l'étage, ainsi qu'une paire de billets pour un concert des violons de Venise. Le concert avait lieu le soir même à l'église San Vidal, qui se trouvait entre le pont de l'Académie et le *campo* Santo Stefano, à deux pas de chez elles. Elles revêtirent leurs beaux habits, mirent un peu de fard sur leurs yeux et leurs joues, du rouge à leurs lèvres, et elles assistèrent au concert tout en bénissant leur chance d'entendre du Vivaldi dans une église de Venise dont l'acoustique était formidable et où la proximité avec les musiciens ajoutait au charme du concert. Toutes les bougies allumées conféraient au lieu une atmosphère enivrante.

À la sortie, Mathilde croisa le petit monsieur rencontré quelques jours auparavant, celui qui écoutait la classe du conservatoire de musique, sa tasse de café à la main. Il la reconnut et la salua au passage ; Poppy se demanda pourquoi son amie rougissait. Puis elles allèrent prendre le repas du soir dans un des restaurants sur le *campo*. À cette heure avancée, il faisait légèrement froid, mais elles décidèrent quand même de manger en terrasse. Mathilde était surprise, mais ravie également de voir tous ces habitués qui sortaient prendre l'apéro à l'extérieur. Chaudement vêtus, qui d'un foulard, qui d'un chapeau, certains même protégeant leurs mains avec des gants, ils étaient là pour se détendre en agréable compagnie malgré le temps frais. Il n'y avait pas à dire, on était en Europe ! Malgré les temps difficiles, malgré les restrictions budgétaires de tout un chacun, les Vénitiens ne se privaient quand même pas de ce plaisir.

Mathilde et Poppy firent comme les habitués. Elles prirent l'apéritif afin de fêter joyeusement cette journée : deux spritz, cet alcool légèrement rosé contenant du prosecco, du Campari ou de l'Aperol et de l'eau de Seltz.

— C'est terrible, cet apéro. Ça se boit tout seul...

En plus du menu, le serveur apporta à chacune une couverture qu'il plaça soigneusement sur leurs genoux afin de leur assurer plus de confort.

— Comme les Vénitiens savent vivre ! s'exclama Poppy avant de commander leur repas.

Comme *primo piatto*, ce fut *baccalà montecato*, brandade de morue à partager. Pour le *secundo piatto*: *fegato di vitello alla veneziana*, foie de veau tranché très mince et revenu à la poêle avec des oignons émincés à la vénitienne et de la polenta pour Mathilde, et pour Paméla, un carpaccio. Après ces délices, elles étaient rassasiées, mais en parfaites gourmandes elles partagèrent quand même un tiramisu. Entre deux bouchées, Poppy s'extasia.

— Hum ! Tire-moi vers le haut !

Mathilde ne comprenait pas où son amie voulait en venir. Celle-ci lui raconta que *tira-mi-su* veut littéralement dire « tire-moi vers le haut », « remonte-moi le moral » ou encore « emmène-moi au ciel ».

— C'est, paraît-il, ce que les filles aux mœurs légères réclamaient après une dure journée de travail. On leur servait alors ce gâteau.

Elles conclurent toutes deux que cette journée à Venise les avait vraiment menées au ciel.

23

Mathilde se chargea d'abord des valises de Paméla, avant de faire les siennes. Elle ne voulait pas imposer cette tâche à son amie, qui semblait épuisée par les journées de marche. En rangeant ses articles de toilette, elle constata que le nombre de médicaments dans le pilulier n'avait pas beaucoup baissé et que plusieurs casiers correspondant aux jours de la semaine étaient encore pleins. Elle s'en inquiéta auprès de Poppy, qui rejeta la question du revers de la main.

— Il y en a tellement que j'en oublie. Une ou deux pilules en moins, ce n'est pas si grave, lança-t-elle en replongeant dans la lecture de sa revue, allongée sur le lit.

Mathilde trouvait que la situation était plus préoccupante que Paméla voulait bien le laisser voir. Elle se promit de changer le pilulier de place, une fois qu'elles seraient rendues dans l'autre appartement. Elle le rangerait dans la cuisine et lui donnerait elle-même ses médicaments, le matin au petit-déjeuner.

Puis elle fit, à son tour, ses valises. Elle réalisa qu'elle s'était joyeusement éparpillée. Il lui était étrange de quitter cet appartement auquel elle s'était attachée, même si ça ne faisait que deux semaines qu'elle y habitait. Elle avait beaucoup aimé le lit à baldaquin avec les grands rideaux, la cuisine moderne et surtout l'immense salle de bain en marbre. Elle espérait, même si le propriétaire leur avait assuré qu'elles seraient enchantées, que le nouvel appartement donnait également sur le Grand Canal, et qu'elle pourrait ainsi continuer à passer des heures à la fenêtre pour observer la circulation sur l'eau. Elle trouvait que c'était une belle vitrine sur le quotidien des Vénitiens. Tout, mais alors tout se faisait par l'eau. Les livraisons de courrier, le chargement des matériaux de construction, le transport des fruits, des légumes, des poissons, des denrées, tout passait par la mer et les canaux. Elle avait même vu un bateau aux couleurs et aux initiales de la compagnie UPS! Les ordures ménagères et les objets destinés à la récupération étaient d'abord déposés sur les *campi* et les rives des canaux, puis on les récupérait dans de petits caissons métalliques pour les déposer sur des bateaux plats prévus à cet effet. Si quelqu'un était malade, si la police intervenait, si le feu se déclarait dans une maison, les secours arrivaient par bateau. La seule chose que Mathilde n'avait pas encore eu l'occasion d'observer et qui l'intriguait au plus haut point était les déménagements. Les Vénitiens ne devaient pas changer souvent d'habitation. Pas comme au Québec, où c'était une maladie contagieuse.

Lorsque les valises furent bouclées, elle s'assit sur le lit et les larmes se mirent à couler sur ses joues, à la grande surprise de Poppy, qui venait d'entrer dans la pièce.

— Mais qu'est-ce qui t'arrive ? Qu'est-ce qui ne va pas ?

Mathilde expliqua qu'elle venait tout à coup de se rendre compte qu'elle ne vivrait pas toujours à Venise. Que ce voyage ne serait pas éternel. Qu'il ne restait qu'une douzaine de jours et qu'ils passeraient trop vite.

— Autant en profiter, alors. Dépêchons-nous d'emménager, jeune fille !

Elle poursuivit avec enthousiasme :

— Nous allons habiter un appartement situé au *piano nobile* du *palazzo* Mocenigo. Comme Lord Byron l'a fait, jadis !

Elle entraîna son amie vers la sortie où les attendaient l'agent immobilier et un aide pour monter leurs valises. Tandis qu'ils s'exécutaient, Poppy raconta, bien installée dans la chaise-ascenseur, tandis que Mathilde s'arrêtait à chaque palier pour reprendre son souffle, l'histoire de l'aménagement de Lord Byron.

— Il est venu s'installer ici avec quatorze serviteurs, des chevaux, des singes, des perroquets, un épervier, des chiens, même un loup ou un renard, en cage, je ne me souviens plus très bien, et un nombre incalculable de jolies demoiselles dont il était tombé amoureux. À cette époque, l'eau du Grand Canal était assez claire pour qu'il y nage.

Son gondolier le suivait avec ses vêtements. Il semblerait qu'il nageait parfois jusqu'au Lido. Étrange homme, mais grand poète.

Lorsqu'elles pénétrèrent dans le nouvel appartement qu'on leur proposait, elles restèrent sans voix. Dès l'entrée, elles furent sous le charme. Tout n'était que luxe, calme et beauté. Les murs et les plafonds revêtaient des teintes d'ocre. Les planchers des pièces à vivre étaient en terrazzo tandis que les chambres immenses et joliment décorées s'ornaient de tapis moelleux. Ni Paméla ni Mathilde ne s'étaient attendues à tant de raffinement. Il y avait des livres sur les tables d'appoint, de jolis tableaux çà et là, et des sculptures en bois d'anges musiciens piqués dans des tiges en métal armées au plancher ; elles semblaient en suspens, dans le salon. Mathilde préféra laisser la chambre principale à son amie et décida de s'installer dans la chambre à deux lits qui donnait sur l'eau. En plus des immenses baies vitrées du salon, elle aurait sa vue privée sur le Grand Canal, et de surcroît, le spectacle des toits de Venise. Chacune aurait sa salle de bain. L'agent leur remit les clés et les laissa à leur installation. Une fois qu'il eut refermé la porte, elles se regardèrent, la bouche ouverte d'étonnement. C'était totalement irréel. Tout en se promenant dans le lieu baigné de lumière, elles laissaient chacune leur tour échapper de petits cris de joie. On leur offrait la *dolce vita* !

Mathilde partit faire les courses tandis que Poppy voulait profiter de la douceur de son grand lit. Comme il était encore tôt, elle se dirigea vers le marché du Rialto. Elle monta à bord du *vaporetto* et descendit à l'arrêt San Silvestro, afin de marcher le long de la *riva* del Vin, l'un des rares endroits où l'on peut faire une balade près du Grand Canal. Elle repéra deux terrasses et un joli restaurant où il serait agréable de prendre l'apéritif ou même de dîner. Armée de son *carello*, elle se rendit au marché, bien décidée à dévaliser la Pescheria et l'Erberia, qui existent depuis des siècles, afin de garnir le réfrigérateur de poissons, de fruits de mer, de fruits et de légumes. Il fallait faire vite, car, passé midi, les maraîchers commencent à plier bagage. Mais comment circuler rapidement devant ces étals tous plus colorés les uns que les autres ?

Mathilde reprenait vie dans ce lieu. « Quand l'appétit va, tout va ! » Elle s'extasia devant un marchand de petits piments. Ils étaient tous attachés à la manière de mini bouquets de mariée, ravissants. Elle se laissa tenter par un rouge et un jaune. Elle déciderait plus tard de ce qu'elle en ferait. Chez le poissonnier, elle choisit une raie toute fraîche et un peu de morue qu'elle allait apprêter à la crème pour les *cicchetti*, les bouchées apéritives. Elle se promettait de regarder de plus près tous ces drôles de minuscules poissons qui gigotaient encore dans leurs seaux remplis d'eau, lors de sa prochaine visite. Certains coquillages l'intriguaient également. Elle fit l'achat d'asperges, de haricots verts extrafins, de laitues diverses et de tomates, ajouta deux melons sucrés. Quelques gousses d'ail, des herbes pour la bruschetta et pour les spaghettis *alla puttanesca* complétèrent ses achats. Elle se plaisait tellement dans ce *grande mercato* qu'elle résolut d'en faire une promenade quotidienne et incontournable. Chargée de ses victuailles, elle prit le chemin du retour, en empruntant le *traghetto*, cette fois-ci, afin de ne pas laisser Poppy trop longtemps seule. Elle débarqua tout près de l'appartement. Arrivée au *palazzo*, comme à son habitude, elle se rendit directement à l'appartement du rez-de-chaussée. Puis elle se rappela qu'elle n'y habitait plus, et qu'il fallait monter à l'étage supérieur. Elle hésitait encore à employer la chaise-ascenseur. Elle s'en servit plutôt comme monte-charge pour ses victuailles et se surprit à grimper les marches avec facilité. Elle commençait à avoir les genoux et les chevilles plus souples. L'humeur différente, aussi. Tout la rendait joyeuse. Elle n'avait pas souvenir d'avoir déjà été aussi heureuse.

Même si elle avait une clé, elle sonna à la porte du nouvel appartement, juste pour le plaisir de voir Poppy répondre. Une autre surprise l'attendait.

— Salut, Fitz !

C'est Anne, tout sourire, qui l'accueillit.

— Je me suis échappée ! lança-t-elle dans un grand rire.

24

Une fois qu'elles eurent fait le tour de l'appartement en s'exclamant dans chaque pièce et devant chaque point de vue qu'offraient les fenêtres, que Poppy et Mathilde eurent raconté à leur amie la chance inouïe qu'elles avaient eue, à la suite de l'*acqua alta*, Mathilde entraîna Anne vers la chambre qu'elles partageraient. Paméla se dirigea vers sa salle de bain, afin de tremper ses vieux os usés dans l'eau chaude et de laisser un peu d'intimité aux deux amies.

— Bienvenue, Anne ! Tu as bien fait de venir nous rejoindre.

Puis elle partit en chantonnant. Une fois qu'elles furent installées dans la chambre, Mathilde s'informa d'abord auprès de son amie pour savoir si elle avait soif, faim, ou si elle voulait se reposer.

— Non, non. Laisse-moi juste réaliser ce qui m'arrive. Venise ! Cet appartement ! Tout ça, c'est à peine croyable.

— Je sais, je me répète la même chose tous les jours depuis notre arrivée, répliqua Mathilde.

— Il est génial, le proprio. Vous refiler un appartement de cette taille ! J'imagine que tu sais ce que ça vaut! Faudra que tu me le présentes. Poppy m'a dit qu'il était très bel homme, un brin extravagant et grand seigneur, en plus. Ça ne me déplairait pas, un comte vénitien en kimono japonais, ça me changerait des hommes en blouse blanche!

Mathilde promit de faire les présentations rapidement; elle avait l'intention d'inviter Massimiliano à souper pour le remercier. Mais elle freina l'enthousiasme de son amie.

— Bel homme, en effet, mais je le soupçonne fortement de préférer l'autre sexe.

Elle regarda longuement Anne. Elle avait encore minci, ses traits étaient tirés, elle avait des cernes prononcés sous les yeux, mais la petite étincelle que Mathilde lui connaissait bien était toujours présente.

— Le vol s'est bien passé?

— Quand on voyage en bonne compagnie... répondit Anne avec un sourire malicieux.

Intriguée, Mathilde haussa les sourcils. Anne désigna du doigt son sein gauche.

— Maintenant que j'ai Jo dans ma vie, je ne suis plus aussi seule. C'est formidable de se sentir soutenue, ajouta-t-elle, un rire dans la voix.

Un silence plana dans la pièce. Les derniers mois n'avaient pas été faciles ni pour l'une ni pour l'autre.

— Moi aussi, je suis là pour toi, rétorqua enfin Mathilde. Je suis ravie que tu sois venue nous rejoindre!

— C'est ta carte postale qui m'a décidée. Je l'ai reçue une journée où j'allais vraiment mal… J'étais au plus bas. J'ai vu ton invitation comme une bouée qui allait peut-être me sauver la vie.

— Tu vas voir, Venise va te remonter le moral, et moi je vais te remettre d'aplomb. J'ai recommencé à cuisiner et j'adore ça.

— C'est vrai ? Miam ! On va se régaler !

Anne se souvenait des talents culinaires que son amie avait acquis dans leur adolescence. Elle avait un véritable don. Comme leur mère n'assumait que rarement la préparation des repas, Mathilde avait décidé un jour que Martine ne pouvait pas manger éternellement des sandwichs au beurre d'arachide et des tranches de « baloney » ; même si elle traçait avec ses dents dans la mortadelle des yeux et un sourire pour amuser sa petite sœur, Mathilde jugeait qu'une fillette de cinq ans devait manger autre chose. Elle s'était plongée dans les livres de recettes, et tout ce qu'elle concoctait depuis était un délice.

— Si tu voyais les marchés ici ! C'est… gargantuesque. J'ai envie de tout essayer.

— Lâche-toi loussc, ma belle, lui répondit Anne en riant. C'est rare qu'une fille dise ça, mais ça ne me fera pas de tort de prendre du poids.

Elle demanda à Mathilde comment les choses se passaient avec Paméla.

— Un pur bonheur. Bon, elle m'inquiète parfois parce qu'elle ne réalise pas son âge. Elle se fatigue à vouloir m'emmener partout, et tu vas le constater par toi-même, Venise est dure pour les genoux ! Elle oublie ses médicaments, mais j'y veille. Poppy n'est pas du tout une charge. Tu vas voir, Venise avec elle, c'est le *nec plus ultra*. Cette femme me fait tellement de bien.

— C'est vrai que tu as meilleure mine. Tu as rajeuni. Comme si on t'avait enlevé un énorme poids de sur les épaules.

— Ça ressemble à ça. Le chagrin n'est pas complètement parti, j'ajoute encore quelques larmes aux eaux de la lagune, mais je me console.

— Ah ! C'est à cause de toi, l'*acqua alta*, décréta Anne en se moquant gentiment.

Mathilde sourit tendrement à son amie retrouvée. Elle ajouta que tout, absolument tout était si grandiose, si époustouflant dans cette ville si troublante de beauté, qu'on ne pouvait qu'être heureux.

— C'est formidable de vivre sur une île flottante. Ça aide à retrouver l'équilibre, glissa-t-elle avec un clin d'œil.

— C'est exactement ce dont j'ai besoin, moi aussi. Flotter au lieu de ramer et de nager à contre-courant. Je me suis obstinée avec mon oncologue. Il me trouvait encore trop fatiguée pour voyager. J'ai insisté, je lui ai dit que j'aurais tout ce qui me resterait de vie pour me reposer. Et puis, on est toutes en danger de perdre d'autres morceaux. Après un sein, qu'est-ce que ce sera ? Un bout d'intestin ? L'utérus ? Un poumon ? Pendant qu'il m'en reste encore quelques-uns, j'ai envie d'en profiter. J'ai juste besoin de me sauver de la maladie, de la chimio, des hôpitaux. De mon fils.

Quand Anne prononça ces derniers mots, les larmes lui montèrent aux yeux. Mathilde se tut. Elle savait que ce n'était pas le moment de l'interroger sur le sujet. Le temps viendrait pour les confidences et elle serait là pour compatir et panser les blessures d'Anne. Pour l'instant, elle écouta plutôt son désir de Venise.

— J'ai envie d'exister quelque part où il fait bon vivre. Dans un endroit qui me fait décoller du plancher, qui me pousse vers le haut. Tu comprends ?

— *Tiramisu !* s'exclama Mathilde en se précipitant vers la porte. J'ai ce qu'il te faut. Installe-toi, je reviens. Après, tu prendras une douche, tu feras une sieste, et ce soir, on sort faire la fête.

Anne observa les détails de la chambre, la finesse de la décoration. Encore assise sur le lit, elle exécuta quelques bonds sur le matelas pour en apprécier la souplesse. Son geste la fit rire. Elle se leva lentement, regarda par la fenêtre et fut fascinée par la vue. Elle entreprit ensuite de défaire sa valise. Elle entendit Mathilde, dans le corridor, qui demandait à Poppy si elle avait besoin qu'elle vienne lui frotter le dos. Décidément, son amie était encore et toujours aux petits soins avec tout le monde.

Mathilde revint un instant plus tard, portant un plateau dans lequel elle avait déposé deux assiettes contenant chacune une part de tiramisu et deux tasses de café fumant. Elles s'installèrent sur le lit.

— C'est comme avant. Quand on était adolescentes. Tu te rappelles ? dit Anne. Tu me faisais
goûter tes inventions culinaires.

— Comment veux-tu que j'aie oublié ça ? Ça
me faisait tellement de bien de m'évader de chez
nous. Tout était si simple dans ta famille. Si calme.
Je me serais même fait engager comme cuisinière,
si j'avais pu !

— Sauf que ma mère, la reine du ménage, trouvait qu'on mettait des miettes partout !

Elles rirent toutes deux de bon cœur. Entre deux
bouchées de gâteau, Anne s'inquiéta tout à coup.

— Je ne vous dérange pas, toi et Poppy, j'espère ?

— Tu as vu l'appartement ? demanda Poppy,
qui venait d'apparaître dans l'encadrement de la
porte, enroulée dans un grand drap de bain. On
pourrait être une demi-douzaine, on ne se mar-
cherait pas sur les pieds. C'est trop beau tout ça
pour ne pas être partagé. Bienvenue dans le club
des fugitifs. C'est Casanova qui serait content !
ajouta-t-elle en retournant vers sa chambre.

— Où vas-tu chercher que tu déranges ? Bien
sûr que non, insista Mathilde. En fait, j'espérais
que tu viendrais, comme tu me l'avais promis. Toi
aussi, tu as besoin de refaire tes forces. Je vais te
remettre en forme, moi.

— Euh… Je suis un peu perdue. Qu'est-ce que
Casanova vient faire là-dedans ?

— Avant de t'endormir, ce soir, je te raconterai
l'histoire des trois femmes et de Casanova qui se
sont évadés de leur prison.

25

Mathilde sortit de l'appartement sans faire de bruit. Comme prévu, Anne, après avoir avalé une bouchée et pris une douche rafraîchissante, s'était allongée sur le lit et s'était endormie aussitôt. Poppy, elle, lui avait fait un petit salut de la main avant de retourner à sa lecture. Comme elle avait coutume de le faire chaque fin de matinée, elle s'était installée, en robe de chambre, bien emmitouflée sur le divan du salon, avec un livre d'art sur les genoux. Et comme il y en avait partout dans l'appartement, elle était comblée. Bientôt, ce dernier lui glisserait des mains, tomberait sur le plancher sans même la réveiller, et elle aussi s'endormirait, les lunettes de guingois sur le bout du nez.

Mathilde appréciait ces escapades solitaires. Cette liberté. À Montréal, elle avait l'habitude de sortir pour de longues marches avec Kaïa. Sa vie d'avant, du temps de sa mère, était tellement pesante que les sorties qu'elle faisait alors ne lui servaient qu'à reprendre son souffle et à faire entrer le plus d'air possible dans ses poumons pour ne pas étouffer complètement. Cela lui permettait également de retrouver un certain calme avant d'affronter à nouveau le dragon qui n'avait pas fini de cracher sa haine. Ici, ses promenades la réjouissaient au plus haut point. Ses yeux, sa tête, son cœur, ses pieds étaient ravis de se trouver là où ils étaient. Tout était fascinant, tout la remplissait d'une telle joie ! Elle faisait des provisions de bonheur pour le retour.

Elle s'engagea dans la rue delle Botteghe, où elle croisa plusieurs personnes qui s'affairaient à leurs courses ou qui étaient attablées à une terrasse. À Venise, il n'y a pas d'heure pour le *caffè*; il n'y a que son appellation qui change. De nombreux Vénitiens marchaient en compagnie de leurs chiens, la plupart de petite taille. Elle songea que Kaïa aurait été contente de ces parcours changeants dus à la diversité des rues et des ponts. Mais elle était en sécurité chez sa sœur, et ses neveux devaient la gâter plus qu'il n'était permis. Mathilde avait toujours cru que Venise était plutôt une ville amoureuse de ses chats. Elle réalisa que, depuis son arrivée, elle n'en avait croisé aucun. Mais où se trouvaient tous les chats de Venise ? Elle avait lu sur ces félins si utiles à leur cité puisqu'ils aidaient à la débarrasser des rongeurs. Poppy lui avait longuement parlé des chats de Venise qui envahissaient les *calli*, les *ponti*, les *campi* pour chasser ou pour se prélasser au soleil. Elle lui avait raconté les *mamme dei gatti*, ces « mamans » qui s'occupaient de nourrir, sur les *campi*, les chats errants. À certains endroits, on leur construisait même des abris de fortune qui les protégeaient les jours d'intempéries. Mathilde trouvait que Venise sans ses chats manquait de sa poésie. Elle en glisserait un mot à leur propriétaire. Il semblait avoir toujours demeuré à Venise, il devait connaître le fin mot de cette histoire.

Elle arriva rapidement à son lieu de rendez-vous quasi quotidien. Elle allait, chaque fois que leur horaire chargé le lui permettait, s'appuyer sur le mur en face du conservatoire pour s'abreuver de musique classique. Ce moment lui appartenait, tout comme celui où elle admirait le Grand Canal, de sa fenêtre. Mais ce midi-là, les choses ne se passèrent pas tout à fait comme à l'accoutumée. Elle pénétra dans la cour et surprit l'autre spectateur habituel, le petit monsieur qui venait siroter son café tout en écoutant l'impromptu musical. Mais cette fois-ci, au lieu de la gratifier d'un sourire avenant, comme il l'avait fait auparavant, aussitôt qu'il la reconnut, il partit en courant en direction du *campo*. Mathilde ne comprit pas pourquoi son arrivée l'avait fait fuir de la sorte. Peut-être que l'homme préférait se retrouver seul dans la cour du conservatoire ? Sans le savoir, elle avait peut-être bousculé les habitudes du solitaire en venant, elle aussi, écouter le concert gratuit. Elle en était là de son questionnement lorsque l'homme revint. Il se dirigea directement vers elle ; il tenait une tasse de café dans chaque main. Il s'approcha, lui en tendit une et garda l'autre pour lui. Il s'appuya au mur juste à côté de Mathilde et sortit prestement de sa poche deux carrés de sucre, qu'il lui remit. Elle en prit un, il prit l'autre et ils remuèrent leur café à l'unisson. Le cœur de Mathilde bondit dans sa poitrine. Ce geste anodin la ravit. À son tour, elle ferma les yeux et savoura l'instant, Bach et la boisson chaude et sucrée.

Quand la musique cessa, l'homme se tourna vers Mathilde, reprit la tasse qu'elle avait vidée, la salua d'un hochement de tête et repartit vers le *campo*. Elle resta quelques instants abasourdie, puis se précipita à sa suite. Qui était cet homme ? Une fois sur la place, elle eut beau regarder partout, il avait disparu. Elle refit le chemin jusqu'à l'appartement et tomba sur Paméla et Anne, qui admiraient la façade de l'église Santo Stefano. Elle alla à leur rencontre. Une fois qu'elle fut à sa portée, Poppy lui pinça la joue.

— Tes promenades du matin te donnent bon teint !

Mathilde rougit de plus belle. Heureusement, comme à son habitude, Paméla attira leur attention sur un détail architectural. Cette fois-ci, elle leur fit remarquer le campanile très incliné qui donnait l'impression de vouloir s'effondrer à tout moment.

Elle les incita à entrer pour admirer les œuvres du Tintoret et de Canova, mais surtout pour découvrir le plafond particulièrement impressionnant, construit à la manière d'une carène de bateau inversée, magnifiquement décoré et supporté par des poutres gravées qui traversent la nef et rappellent de longues rames.

Les trois femmes firent le tour de l'église, visitèrent le cloître voisin et le couvent adjacent et découvrirent, toujours grâce aux connaissances de Poppy, la particularité de l'abside construite au-dessus du *rio* del Santissimo di Santo Stefano, la seule église de Venise bâtie au-dessus d'une rivière. Devant les chapelles latérales, chacune alluma un cierge, qui à la Vierge, qui à un saint ou à une sainte, et fit une prière silencieuse après avoir déposé des pièces dans les petites caisses prévues à cet effet.

Après cette visite, elles décidèrent de rentrer manger à l'appartement. À mi-chemin entre le *campo* et le *palazzo*, Anne tomba en pâmoison face à la devanture d'un magasin qui proposait des articles de dessin. En vitrine, on pouvait admirer une étagère de bois couchée sur le sol, séparée en compartiments qui abritaient des pigments en poudre de toutes les couleurs. C'était tellement réjouissant pour l'œil ! On avait presque envie d'y mettre le doigt pour le porter à sa bouche tant les coloris semblaient appétissants.

Anne entra illico dans la boutique et en ressortit quelques minutes plus tard, les bras chargés de crayons et de cahiers à dessin.

— Je sais maintenant ce que je suis venue chercher à Venise !

26

Lorsque Mathilde se réveilla, ce matin-là, elle aperçut du coin de l'œil Anne, assise à la fenêtre. Les lueurs du jour commençaient à peine à pénétrer dans la chambre. Son amie semblait perdue dans ses pensées.

— Anne, ma sœur Anne, ne vois-tu rien venir ? demanda doucement Mathilde.

Sans se retourner, elle rit.

— Ça faisait longtemps que tu ne me l'avais pas faite, celle-là. Non, mon amie Fitz, je ne vois rien.

Elle se tourna vers Mathilde, encore emmitouflée sous les couvertures. Puis, comme si elle se trouvait prise en défaut, d'un mouvement rapide elle toucha son crâne dégarni. Faisant référence à sa perruque, qu'elle avait enlevée pour la nuit, elle demanda à Mathilde si elle préférait qu'elle la remette.

— Pourquoi ? Tu es jolie comme ça. Ça repousse bien, non ?

— Oui… Ça repousse.

Anne quitta la banquette adossée à la fenêtre et s'installa sur le lit de Mathilde. Elle portait un pyjama de « flanellette » garni d'étoiles.

— Un sein en moins, plus de cheveux, ridée de partout parce que j'ai trop maigri, les dents qui se déchaussent et qui tombent à mesure des séances de chimio… Je fais pas mal dur. Une p'tite vieille sur le déclin !

Mathilde trouvait qu'elle avait plutôt l'air d'une adolescente qui se serait rasé la tête pour protester contre l'univers entier. Il ne lui manquait que les *piercings* pour compléter le portrait.

— Tout à fait mon genre ! Je laisse ça aux amis de mon fils.

— Comment il va, ton grand escogriffe ?

— Pas très bien, je pense. En fait, je ne le sais même pas ! Il vit chez son père depuis… sa sortie d'un centre de désintoxication. Et depuis, il ne me parle plus. C'est Marc qui me donne des nouvelles. Il se fait un méchant plaisir de me dire que si je l'avais élevé autrement on n'en serait pas là.

Mathilde s'assit dans le lit, disposée à écouter son amie.

— Raconte.

— Tu as toute la journée ? fit Anne, les yeux remplis de larmes. Elle chercha dans sa poche de pyjama un mouchoir et se moucha bruyamment.

Pour ne pas brusquer son amie, Mathilde lui offrit d'aller leur faire des cafés. Anne acquiesça.

— Un bol avec beaucoup de lait et trois sucres, dit-elle avec un faible sourire.

Mathilde partit rapidement et revint tout aussi vite avec un plateau. Entre leurs cafés, elle avait glissé une assiette de *ricciarelli*, des biscuits italiens aux amandes.

Elles s'installèrent toutes les deux sur le lit de Mathilde, leur café à la main.

— Tu m'as demandé tout à l'heure si je ne voyais rien venir… Honnêtement, j'essaie de ne pas voir trop loin. Ce qui se passe sous mes yeux me suffit pour le moment. C'est ce qui me procure le plus de calme. Le reste…

Elle raconta tout à Mathilde. La peine, l'incompréhension, la peur. Comment Éloi, élève brillant, mais qui ne faisait rien en classe parce qu'il s'ennuyait, comme plusieurs des garçons de cette génération, avait commencé à déraper à l'école. Comment il s'était mis à consommer. Des drogues douces, il était passé aux dures sans qu'elle réalise l'ampleur des dégâts.

— Je n'ai rien vu venir. J'ai un fils habile qui sait acheter la paix. Il s'arrangeait pour que ni moi ni mon ex ne voyions la situation se désagréger. Je travaillais sans arrêt, son père aussi… Comme on a toujours eu à cœur que notre fils devienne un individu indépendant, responsable, on n'a pas tout contrôlé. On lui a fait confiance et on n'aurait pas dû. Puis les amis ont changé, les résultats scolaires ont chuté. Il a quitté l'école et s'est trouvé un travail. Il a décidé d'aller vivre en appartement. On l'a aidé à s'installer. Tout semblait aller mieux. En fait, il était en permanence sur la cocaïne, il avait un travail qu'il avait l'air d'aimer. Mais pour y arriver, il consommait de plus en plus. Comment il faisait pour se procurer tout l'argent nécessaire? Je n'en ai pas la moindre idée. Et je pense que j'aime mieux ne pas le savoir. Lorsqu'il venait nous voir, il donnait le change. Les jours où ça se passait moins bien, on n'en entendait pas parler. À un moment donné, je l'ai senti au bord du précipice.

Elle fit un long silence. Patiente, Mathilde attendit la suite.

— Il a perdu son travail. On l'a aidé financièrement le temps qu'il en trouve un autre, mais il était tout le temps à court d'argent. Son père a renoncé à le financer. Moi, la folle, je compensais. Je croyais l'aider à payer son loyer, en fait je payais sa drogue! Il y a quelques mois, comme il allait perdre son appartement, j'en ai profité pour lui suggérer d'entrer en cure. Il a d'abord refusé, puis il a finalement accepté. Il était tellement abîmé! Comment on peut descendre aussi bas? Il avait besoin d'aide. Et moi, cette aide, je ne pouvais pas la lui donner. J'ai sorti une grosse somme d'argent de la banque et je l'ai fait entrer en clinique de désintox. Mon ex a aidé comme il a pu.

Éloi y était allé à reculons, parce qu'il n'avait pas d'autre solution. Anne avait consulté des gens pour savoir si cette tentative donnerait quelque chose. Un jeune qui s'en était sorti lui avait dit que oui: «Même s'il ne se sent pas prêt à entendre le message, le message finit par rentrer quand même. » Elle raconta que le directeur du centre lui avait demandé quel était le type de consommation de son fils.

— Je lui ai dit qu'il n'avait qu'à cocher toutes les cases qui existent en matière de drogues. Il les a toutes essayées, je crois. J'espère de tout mon cœur qu'il lui reste quelques neurones pour ne pas finir légume.

Puis Anne se mit à pleurer. D'abord tout doucement, mais les larmes redoublèrent vite d'ardeur. Mathilde s'approcha d'elle et la prit dans ses bras. Son amie se laissa bercer sans cesser de sangloter.

Au bout d'un long moment, elle se ressaisit, respira plus calmement.

— Tu es la seule à qui j'ai raconté tout ça. Comment on peut parler de ça à quelqu'un ? C'est tellement effrayant. Tous les autres parents n'ont que des choses épatantes à raconter au sujet de leurs enfants. « Mon fils a été admis dans une grande école… Ma fille a reçu le premier prix… Mon fils gagne tous ses matchs, ma fille parle quatre langues ! » Le mien ? Oh ! Formidable ! Il se drogue du matin au soir !

Elle prit une grande inspiration. Le chagrin était encore tout proche.

— Qu'est-ce que je n'ai pas fait ? Ou qu'est-ce que j'ai fait pour que mon fils en arrive là ? Dire que, lorsque j'étais enceinte de lui, je me réjouissais à l'idée de tenir la main d'un petit bonhomme et de l'aider à se tenir debout dans la vie. J'ai hérité d'un total inconnu qui vit à l'horizontale… Ça fait plus que dix ans qu'il se suicide à petit feu. Peut-être que tu pourrais répondre à la question que je me pose sans arrêt… Comment on fait ça, le deuil d'un enfant vivant?

Mathilde la regarda avec des yeux désolés et ne sut que répondre.

— Des fois, je lui en veux tellement…

— Je crois plutôt que tu l'aimes énormément. C'est pour ça que ça te fait si mal. Tu ne devrais pas te sentir coupable, répliqua Mathilde. Tu m'as déjà dit qu'on ne peut pas aider les gens à vivre leur vie… On ne peut pas les sauver malgré eux.

— Je sais tout ça, soupira Anne. Ma psy me le rappelle régulièrement. Il faut qu'il aille jusqu'au fond et qu'il décide de remonter seul, ou de se… Mais je me sens impuissante. C'est comme si on m'avait attachée à un arbre, puis bâillonnée, et que je regardais mon fils de vingt-six ans se noyer dans la rivière sans pouvoir intervenir. Te dire comme c'est dur… Et il refuse toujours de me parler.

— Pour l'instant, tenta Mathilde.

— Oui… peut-être. Il est très en colère après moi. Il me tient responsable de sa vie plate depuis que je l'ai envoyé au centre. Je peux comprendre le changement! Il a commencé à se droguer à quatorze ans! Douze ans de «paradis artificiels», ça altère la perspective d'une vie! La mienne aussi a changé après ça. Diagnostic de cancer. Ça n'avait rien d'un paradis, même si on m'injectait toutes sortes de cochonneries dans les veines! Mais je suis passée à travers. C'est l'après qui est le plus dur.

— À qui le dis-tu !

Anne réalisa que Mathilde aussi venait de sortir d'un enfer. Les dernières années de sa mère, puis sa mort avaient laissé des traces. Mathilde pensa à celui dans lequel baignait encore son amie. L'ablation d'un sein, les traitements de chimiothérapie, la situation de son fils, c'étaient des moments difficiles à passer.

— Mais l'après… commença Mathilde.

— On peut en faire quelque chose, termina Anne.

Elles se sourirent. Leur « après » commençait maintenant et s'appelait Venise.

27

Elles prirent rapidement leur déjeuner. Paméla, qui était en grande forme ce matin-là, avait organisé une journée chargée. Mathilde et Anne ne protestèrent pas. Se trouver au cœur de Venise, voir les canaux, les palais, les petites rues et les ponts, tout cela était une excitation en soi. Le programme concocté par leur amie était toujours alléchant.

— Allons d'abord au *liston*, dit Poppy lorsqu'elles franchirent les grilles du *palazzo*.

— Où? entonnèrent en chœur Anne et Mathilde.

— Pas loin. En fait, c'est une expression vénitienne. Anciennement, les *campi*, les places étaient recouvertes d'herbe, puis on les a dallées de pierres. Ces passages pavés s'appelaient *liston*. Donc, aller au *liston* veut dire «aller se promener».

Elles partirent donc, bras dessus, bras dessous. Dans certaines rues trop étroites, cette façon de marcher à trois s'avérait impossible. Il y en avait toujours une qui traînait derrière, faisant au passage du lèche-vitrines. C'est ainsi qu'Anne les invita à entrer dans une galerie de photos, La

Salizada. On y présentait de magnifiques photo-
graphies de femmes. Le directeur, Alberto De
Giulio, leur servit de guide avec une grâce toute
vénitienne. « *Ogni fotographia raconta une storia.* »
Chaque photographie racontait effectivement une
histoire : des paysages d'une profondeur inouïe,
des personnages mystérieux, des femmes sen-
suelles que le noir et blanc rendaient encore plus
vivantes. Elles restèrent longtemps à admirer l'une
des œuvres de Wanda Wulz, une photo où figu-
raient trois femmes au sourire énigmatique, leurs
épaules entourées d'un châle de soie, bordé de
longues franges. Toutes trois regardaient intensément l'objectif. Poppy, Anne et Mathilde se
sentirent interpellées, se reconnurent dans ce
portrait. Trois femmes unies et protégées sous
l'écharpe de Venise. La journée partait du bon
pied.

À la sortie de la galerie, elles traversèrent le
campo Santo Stefano pour se rendre au pont de
l'Académie. Au passage, Mathilde s'étira le cou en
direction du *campiello* Pisani et du conservatoire.
Elle eut un pincement au cœur. Pas de concert
aujourd'hui, ni de café, ni de petit monsieur. Le
marchand de fleurs jouxtant le jardin du *palazzo*
Cavalli-Franchetti avait ouvert toutes grandes ses
portes. Malgré le temps frisquet de novembre,
un peu de printemps s'étalait sur la place. Les
trois femmes franchirent la moitié du pont et, se
retournant vers la rive qu'elles venaient de quitter,
elles purent admirer la gigantesque sculpture de

métal argenté faite à partir de roues de bicyclettes, sise dans le jardin du *palazzo* Cavalli et qu'on peut apercevoir du Grand Canal.

Poppy mit à nouveau ses connaissances au service d'Anne et de Mathilde, qui ne demandaient que ça, et raconta quelques pages de l'histoire de ce pont de l'Académie, qui relie le *sestiere* San Marco à partir du *campo* Santo Stefano à celui du Dorsoduro au pied du musée de l'Accademia. Construit par des Anglais, le premier pont, fait de métal, était trop bas et gênait le passage des bateaux ; vers la fin de 1932, un pont de bois, qui devait remplacer temporairement le premier, fut construit en un temps record : trente-sept jours ! Par la suite, un concours d'architecture fut lancé pour le remplacer, il y eut un gagnant, mais le projet ne se concrétisa jamais. L'avantage extraordinaire de ce pont est d'offrir une vue plongeante permettant d'admirer l'eau et les palais, dont les couleurs changent au gré de la lumière.

— Ce pont temporaire risque de le demeurer longtemps. L'auteur Paul Morand, qui avait coutume d'y venir tôt le matin, disait : « L'air n'a pas encore servi ; il court à vous, tout débarbouillé, venant de la mer. » À nous d'en profiter, conclut Paméla avant de repartir en trottinant allègrement sur le pont.

Anne et Mathilde, avec un sourire de connivence, la regardèrent s'éloigner, admiratives. Légère, la tête heureuse, le pied alerte, Paméla dansait presque sur ce pont de bois.

Première station : les Gallerie dell'Accademia. Poppy, une fois de plus, servit de guide. On y a accès à un exceptionnel panorama de la peinture vénitienne du XIVe au XVIIIe siècles, le plus complet au monde, dit-on, depuis l'époque médiévale jusqu'au baroque et au rococo, en passant par la Renaissance, période particulièrement faste pour la peinture vénitienne. Les plus grands maîtres sont présents : Paolo Veneziano, Tiepolo, la famille Bellini, Lotto, le Tintoret... Elles admirèrent longuement le monumental *Repas chez Lévi*, de Véronèse, qui occupait un mur entier. À ce sujet, Poppy leur apprit une anecdote intéressante.

— Véronèse venait de terminer la commande de ce tableau quand on le fit comparaître devant le tribunal de l'Inquisition. On l'accusait d'impiété puisqu'il avait inclus dans sa représentation de la Cène des buveurs, des bouffons, des nains, des Noirs et des animaux. Il fut sommé sur-le-champ d'éliminer les éléments profanes de son tableau. Pour que son œuvre demeure telle qu'il l'avait imaginée, Véronèse décida, plutôt que d'en retirer des éléments comme on le lui imposait, de modifier simplement le titre, qui devint *Le Repas chez Lévi*, au lieu de *La Cène*.

Lorsqu'elles sortirent de la Galleria, il pleuvait des cordes. Elles longèrent en vitesse la *piscina* Forner pour s'abriter en riant au *campo* San Vio, sous la devanture de Dittura Massimo. La boutique était celle d'un *calzature*, un marchand de chaussures. Elles y entrèrent et y trouvèrent de longues bottes qui montent jusqu'aux genoux, simples, mais bien taillées pour des bottes en caoutchouc, qu'elles avaient toutes trois envie de rapporter à Montréal, malgré l'excédent de poids que cet achat allait causer. Pendant l'essayage, elles virent plusieurs personnes entrer dans le magasin, déposant à l'entrée, avec une confiance absolue, leur parapluie ; en sortant, chacune reprenait son parapluie. Mathilde constata à quel point les gens de Venise étaient respectueux. Elle s'était déjà fait cette remarque dans les semaines précédentes.

Jamais elle n'avait entendu quelqu'un crier au voleur ou protester parce qu'on lui avait piqué quelque chose. Anne et Mathilde furent séduites par de magnifiques pantoufles typiquement vénitiennes en velours. Ces *furlane*, originaires de la campagne du Frioul, virent le jour à la fin de la Seconde Guerre mondiale, époque où rien ne pouvait être gaspillé. Les semelles étaient constituées de pneus de bicyclette recyclés pour en assurer l'imperméabilité, et de vieux vêtements servaient à la fois d'étoffe et de rembourrage. Le succès de ces chaussures fut immédiat et elles furent vite adoptées par les gondoliers vénitiens, qui, chaussés de la sorte, protégeaient le vernis de leur gondole. Les deux amies en firent cadeau à Paméla, leur guide attitrée, pour la remercier. Elles n'avaient rien à voir avec les pantoufles de vair d'une princesse, mais Poppy les jugea si confortables qu'elle dit se sentir comme une reine, chaussée de la sorte. C'est ainsi qu'elles sortirent de la boutique, une reine de cœur flanquée de deux chats bottés !

Comme la pluie n'avait pas cessé, la deuxième station de cette journée de balade eut lieu à la Fondation Peggy Guggenheim, avec son joli jardin planté de sculptures magnifiques, dont un jeune homme au pénis dressé assis sur un cheval, membre que l'on enlevait lorsque des ecclésiastiques venaient visiter les jardins, et où repose Peggy Guggenheim, en compagnie de ses chats. Riche héritière et férue d'art, collectionneuse et mécène, cette femme avait su réunir une des plus belles collections d'art moderne dans un *palazzo* qui porte le nom de Venier dei Leoni, une curieuse construction à un seul niveau. Le *palazzo* devait en compter quatre, mais comme l'expliqua Poppy à ses amies, on ne sait pas si c'est la concurrence avec le voisin d'en face, la famille Corner, qui ne voulait pas d'un vis-à-vis plus élevé que son palais sur l'autre rive, ou un sérieux manque d'argent qui fit arrêter la construction des étages supérieurs.

Elles purent y admirer les tableaux de Picasso, de Klee, de Kandinsky, de Dali, de Miró, de Magritte, de Chagall, de Max Ernst, entre autres, et une fabuleuse exposition d'œuvres récentes. La salle consacrée au travail de Jackson Pollock fit le bonheur des trois voyageuses. Elles restèrent longtemps aussi à contempler le tableau de René Magritte, *L'Empire des lumières*, où l'on voit cette célèbre demeure blanche, éclairée par un lampadaire et entourée d'arbres sombres. Puisque la pluie avait cessé, Anne se retira sur l'immense terrasse donnant sur le Grand Canal pour croquer des perspectives inspirantes tandis que Poppy et Mathilde poursuivirent leur visite.

Quelque peu fatiguées, les yeux et le cœur remplis de belles découvertes, elles allèrent dans un restaurant grignoter un morceau en terrasse, à l'écart du pont de l'Accademia. Là, en plus de déguster de succulentes bouchées apéritives, elles assistèrent à une scène des plus amusantes. En provenance du pont et se dirigeant tous vers les *calli* du Dorsoduro, une étrange procession rassemblait des centaines de jeunes, endimanchés et arborant qui sur la tête, qui autour du cou d'immenses couronnes de laurier particulièrement fournies, accompagnés d'amis et de leur famille. En interrogeant le serveur, elles apprirent que ces universitaires nouvellement diplômés en philosophie se rendaient, après la remise des diplômes, un peu partout dans le *sestiere* pour une réception en leur honneur. D'ailleurs, les places que Mathilde, Anne et Paméla occupaient allaient bientôt servir à un groupe. Avec le consentement des intéressés, elles prirent quelques photos, tandis qu'Anne dessinait rapidement les jeunes gens qui déambulaient.

Les filles décidèrent de donner congé de cuisine à Mathilde et d'aller déguster de bons poissons frais à la trattoria Osteria al Bacareto, à deux pas de leur demeure. À cette heure avancée, il faisait trop froid pour manger en terrasse. Elles s'installèrent donc dans la salle chaleureuse où se trouvaient beaucoup de Vénitiens aussi gourmands qu'elles. Ce soir-là, elles rentrèrent tard de leur promenade au *liston*, joyeuses et passablement pompettes. Les rires fusèrent à nouveau dans la cage d'escalier lorsqu'elles gravirent toutes les marches jusqu'à l'appartement, oubliant qu'il existait une chaise-ascenseur.

28

Certains matins, alors que Poppy dormait encore, Mathilde et Anne sortaient en catimini pour prendre leur petit-déjeuner sur la place Santo Stefano, de manière à laisser le plus de temps de repos possible à Paméla.

Le soir, elles lui massaient les jambes à tour de rôle, lui frictionnaient le dos d'un baume réparateur, que Poppy appelait « pommade pour vieux os ». Pendant ce temps, celle-ci faisait la lecture à Mathilde du livre sur l'histoire de l'imprimerie à Venise qu'elle s'était procuré quelque temps auparavant.

Après de longues heures à visiter Venise, il n'était pas rare que Poppy veuille passer la journée suivante seule dans l'appartement, à flâner, à lire. Ou alors, elle montait prendre le thé sur la terrasse en compagnie du comte, avec qui elle s'était liée d'amitié. Dans ces moments-là, Mathilde lui laissait toujours un en-cas dans le réfrigérateur. Les filles en profitaient pour se retrouver en tête à tête au café sur le *campo*, souvent en terrasse, ou encore dans un petit coin de la salle où l'on trouvait des gâteaux de toutes sortes, des *gelati* et, surtout, une gourmandise qu'appréciait au plus haut point Mathilde, des tartelettes de riz. Elle en faisait la dégustation un peu partout dans Venise. Tout comme son amie, Anne reprenait peu à peu goût à la vie. Elle et Jo se portaient bien. La cicatrice s'estompait. La peur aussi. Évidemment, il était parfois question de son fils, de sa culpabilité, et il leur arrivait également de parler de Lucille. Heureusement, l'évocation de la courte existence du père de Mathilde, ce petit papa Noël si merveilleux, venait contrebalancer la vie triste et colérique de sa mère.

Un matin, alors que les deux femmes étiraient le déjeuner, elles virent passer des mamans avec leurs petits, juchés sur leur trottinette. Anne les regarda et se rappela l'enfance de son fils. Si gracieux, si doux, si désireux de vivre. Qu'avait-il pu se passer pour que les choses changent à ce point? Où était passée cette soif de vivre qui l'animait alors? Mathilde, de son côté, se demanda pourquoi sa mère n'avait pas eu envie de partager les jeux et les rires de ses filles plutôt que de rester à geindre dans son lit.

Les deux femmes se consolèrent comme elles purent. Elles se rappelèrent qu'elles étaient à Venise pour reprendre des forces, s'emplir de joie et de beauté, même si certains souvenirs remontaient à la surface et les submergeaient parfois de chagrin. Une ville d'eau appelait l'eau. Mais comme avait l'habitude de dire Mathilde, en riant à travers ses larmes : « C'est inutile d'en rajouter, l'eau à Venise, ce n'est pas ça qui manque ! »

— Tu sais, ajouta-t-elle, Poppy dit tout le temps que vieillir ça ne sert qu'à remplir sa mémoire de gestes, de mots, d'images, de pensées, d'éclats de lumière et d'éclats de rire pour nos vieux jours.

Elle hésita une seconde et compléta sa liste par un timide : « … de musique, aussi. » Ses joues devinrent cramoisies. Anne la regarda, suspicieuse.

— Est-ce qu'il y a quelque chose qui m'a échappé ?

Mathilde faillit nier son émoi, puis finit par se confier. Elle parla des concerts au conservatoire, du petit monsieur, et des cafés qu'il lui apportait chaque fois. Elle allait d'ailleurs de ce pas rejoindre les violons, Vivaldi, Haydn ou Bach.

— … et le petit monsieur. Ah ! C'est pour ça que tu ne prends que des décaféinés avec nous ! constata Anne, ravie qu'un événement heureux se produise enfin dans la vie de son amie. Et il s'appelle comment, ce mélomane ?

— Je n'en ai pas la moindre idée, avoua Mathilde. On ne se parle pas. Il sourit beaucoup, on savoure la musique et le café. Ça me fait tellement de bien que quelqu'un me sourie et soit aux petits soins avec moi ! Depuis des années, je n'ai que mon chien qui m'accueille en sautillant et en me léchant le visage…

Elles rirent toutes les deux.

— Je me trompe, Fitz, ou il n'y a pas que la caféine qui fait battre ton joli cœur ?

— Si on veut… Mais tu vois, il n'y aurait que ces moments-là et je serais comblée. Ça doit être ça, vieillir. On mise plus sur la qualité du temps passé avec quelqu'un que sur la quantité.

Anne s'empara de l'addition et annonça que, comme ses crayons étaient aiguisés et prêts à l'emploi, elle dessinerait des passants sur la place. Il ne se passait pas une journée sans qu'elle utilise son carnet de croquis et ses graphites. Mathilde se réjouissait pour elle. Anne était si douée lorsqu'elle était jeune qu'elle ne comprenait pas que son amie d'enfance ne se soit pas dirigée vers une profession artistique au lieu de faire les HEC.

Mathilde partit pour son rendez-vous musical ; elle rejoindrait Anne plus tard pour se rendre dans le quartier Castello afin de découvrir une boutique d'art, genre de bazar qui regorgeait, aux dires d'un site trouvé sur Internet, de trésors pour le dessin et la peinture.

Lorsqu'elle arriva sur la place, elle était non seulement seule, mais il n'y avait aucun son, aucune musique qui sortait des fenêtres. Elle attendit. Puis, une femme s'avança en direction de la façade, voulut entrer et se heurta à une porte close. Au bout de quelques minutes, Mathilde et l'inconnue comprirent que le conservatoire était fermé.

— *Giorno di vacanza !* conclut cette dernière.

Rebroussant chemin, Mathilde retrouva Anne, toujours penchée sur sa tablette de croquis. Elle terminait le dessin qu'elle avait commencé plusieurs jours auparavant. On y reconnaissait

Mathilde tenant une petite tasse de café blanche à la main. Ses yeux étaient rieurs.

Elles prirent le *vaporetto* en direction de l'Arsenal, longèrent des *calli,* franchirent des ponts dans le *sestiere* Castello. Elles tournèrent en rond, demandèrent leur chemin, mais rien n'y fit, elles ne trouvèrent pas La Beppa, le fameux magasin qu'Anne désirait ardemment découvrir. Elles savaient qu'elles n'étaient pas loin, mais il était si difficile de trouver une adresse précise dans Venise ! Elles se rabattirent sur une visite de la *chiesa* di San Francesco della Vigna. La vigne n'était qu'un vague souvenir, mais l'église était magnifique avec ses bas-reliefs sculptés datant du xve siècle, son monastère composé de deux cloîtres et ses passages extérieurs ayant été utilisés comme cimetière. On y trouvait de grandes dalles blanches ou ocre foncé ornées de dessins et d'inscriptions délavés par le temps. Après quelques cierges allumés et prières récitées, elles revinrent ensuite sur leurs pas pour découvrir enfin la fameuse Beppa ; elles étaient passées deux fois devant sans la voir. La façade ne payait pas de mine. Il s'agissait en fait d'une quincaillerie et droguerie, où l'on venait pour acheter des vis, des produits d'entretien, de la corde pour son bateau ou du matériel d'art. Il y avait un monde fou à l'intérieur. Des artisans, des peintres, des artistes de toutes les disciplines se retrouvaient dans ce capharnaüm. Tout était tellement attirant que cela donnait envie de se mettre à la peinture ou au dessin, même si on n'avait aucun talent.

Anne dénicha tout ce dont elle rêvait. De jolis pinceaux qu'on ne trouvait pas au Québec, des graphites rares, des carnets au papier si doux au toucher.

Elles se perdirent une fois de plus dans le dédale des rues pour aboutir sur les *fondamente* Nove, cette artère qui longe la lagune. Fouettées par le vent, elles prirent un grand bol d'air du large. Juste en face, on pouvait admirer l'*isola* San Michele, où se trouve le cimetière. Elles se promirent d'aller la visiter en compagnie de Poppy, qui devait connaître bien des anecdotes sur ce lieu. Puis elles quittèrent le *canale* delle Navi et prirent, au hasard, une rue toute menue. La *calle* del Fumo était bordée d'échoppes de restauration, de boutiques artisanales de verre et de masques. Anne s'arrêta devant une vitrine et attrapa fébrilement le bras de Mathilde.

— Il faut que tu entres ici.

— Qu'est-ce qu'il y a de si intéressant ?

— Regarde. *Stampatore !* Je crois que ça veut dire imprimerie. Ton rêve de Venise est devant toi, ma belle Mathilde. Et ton papa Noël n'est pas loin.

Mathilde s'approcha et n'en crut pas ses yeux. La minuscule vitrine du magasin était remplie de cartes de visite, d'*ex-libris*, de cartes de vœux, de papiers à lettres personnalisés.

La porte s'ouvrit sur un homme au regard doux et au grand sourire qui les pria d'entrer. Il parlait un français joliment truffé d'italien.

— Je vais vous expliquer mon atelier. *Il mio nome è* Gianni Basso, le Gutenberg vénitien !

Les genoux de Mathilde fléchirent, son cœur se mit à battre plus fort. Dans l'espace exigu, l'odeur qui avait bercé son enfance, le parfum d'encre qu'elle aimait tant retrouver lorsque son père rentrait du travail, emplissait l'air. Elle fixait Anne et ses yeux baignés de larmes la suppliaient de lui garantir qu'elle ne rêvait pas. Elle ne rêvait pas. Elle se trouvait dans l'un des derniers ateliers d'imprimerie à l'ancienne de Venise. Et Gianni Basso se fit un plaisir de tout leur raconter. Il avait appris son métier chez les moines arméniens de San Lazzaro, une île de la lagune. Puis il avait racheté la boutique de l'imprimeur pour lequel il travaillait. Il avait sauvé de la ferraille de vieilles machines qui n'auraient pas l'occasion de dormir dans un musée, grâce à ses bons soins. Il invita Anne et Mathilde, avec une fierté non dissimulée, à admirer sa plus jeune presse, âgée de quatre-vingts ans! Il s'était procuré des appareils anciens et des polices de caractère chez des imprimeurs qui les délaissaient pour adopter des procédés plus modernes.

Il ouvrit des tiroirs, sortit les plaques de métal et de bois. Il leur montra une vaste collection de gravures sur bois, sur cuivre. Mathilde découvrit des lithographies datant de plusieurs siècles. Il présenta ses enfants, ses grosses machines qui fonctionnaient encore très bien, dont une antique presse à pédales qui permettait d'imprimer chaque carte de visite à la main. Pour appuyer ses dires, il leur fit une démonstration. Un ballet finement orchestré, des doigts papillons ; une main plaçait une carte à imprimer dans la gueule de la presse, l'autre l'enlevait. Et les mains continuaient d'alterner, chacune exécutant la tâche qui lui était attribuée, avec une dextérité fascinante. Les cartes s'empilaient.

— Parfaitement encrées, imprimées à la *perfezione*. Ici, on fait du sur-mesure, du *prezioso*, du raffiné, inoubliable. Prendre les commandes, ajouta l'imprimeur, je préfère. Choisissez type de papier, dessin qui fait envie, couleur de l'encre, coordonnées et autre demande, et moi, j'imprime *tutto a mano*. Basso, dernier artisan à utiliser techniques de composition à la *mano*. Avec mon fils. Lui prendra ma place dans quelques années.

Il leur montra, alignés sur des tablettes, tous les dessins anciens que l'on pouvait utiliser pour sa carte de visite.

— Vingt-cinq ans que j'ai ouvert la boutique, qui est un *piccolo* musée. Ici, pas fax, pas ordinateur. Commandes en personne ou par la poste.

Il leur dit que chaque matin le facteur apportait des lettres venant de passionnés d'imprimerie du monde entier. C'est ainsi qu'il recevait des commandes de clients célèbres. Partout où Anne et Mathilde posaient les yeux, elles avaient des exemples venant confirmer ses dires. Les cartes professionnelles ou *ex-libris* d'un certain George Clooney, de Tony Blair, de Pierre Bergé, de Hugh Grant, de Cédric Klapisch étaient là sous leurs yeux. Même le fondateur de Microsoft et des membres de la famille royale d'Angleterre faisaient appel à ses services.

— Ils viennent de partout. Le bouche à oreille. Peu de *turisti* par ici. Mais princes, divas, gens célèbres, politiciens…

C'était dit sans vantardise, des affirmations simples sortant de la bouche d'un passionné.

Mathilde se retenait pour ne pas pleurer à chaudes larmes. Anne, qui voyait bien à quel point son amie était émue, l'entraîna vers le fond de la boutique pour regarder quelques esquisses. Après avoir choisi des dessins de Casanova et de Pinocchio, Mathilde lut un texte affiché au mur.

Chi lavora con le mani è un operaio.

Chi lavora con le mani e la testa è un artigiano.

Chi lavora con le mani, il cervello e il cuero è un artista.

M. Basso se trouvait derrière elle et traduisit : « Celui qui travaille avec ses mains est ouvrier. Celui qui travaille avec les mains et sa tête est artisan. Celui qui travaille avec ses mains, son cerveau et son cœur est artiste. »

Mathilde se tourna vers l'homme et lui raconta son père, sa passion pour l'imprimerie, l'odeur de l'encre qu'elle trouvait sur ses vêtements lorsqu'il rentrait du travail. Il la serra dans ses bras, la berçant presque. Il lui remit le texte gravé à l'encre vert-de-gris, et lui dit que, lorsqu'elle serait prête à faire imprimer sa carte de visite, il serait là pour l'aider à choisir.

— Gens qui viennent ici sont pas clients, sont *amici*.

Mathilde flottait lorsqu'elle quitta la boutique, son précieux document caché au fond de son sac à main. Anne gardait contre elle ses achats de La Beppa. Elles marchèrent en silence, bravant le froid de cette fin de journée. « C'est peut-être vrai qu'il n'y a pas de hasard, qu'il n'y a que des rendez-vous », pensa Mathilde. Venise venait d'apporter dans leur vie une part de rêve inespérée, inattendue.

29

C'était le branle-bas de combat à l'appartement.
Ce matin-là, tout fut exécuté rapidement : le lever,
la toilette, le petit-déjeuner. Mathilde, Anne et
même Poppy, alors que le « potron-minet » n'était
pas son fort, quittèrent l'appartement de bonne
heure. Direction : le marché du Rialto. Il y avait
une tonne de courses à faire, et Mathilde voulait
trouver au *mercato* ce qu'il y avait de plus frais.
Elles avaient lancé une invitation à Massimiliano,
le propriétaire, pour qu'il vienne souper à l'appartement afin de le remercier de ses largesses.
Mathilde comptait bien faire les choses en grand !

Elle et Paméla initièrent Anne à la traversée
du canal en *traghetto*. Elles étaient seules passa-
gères dans la gondole et trouvèrent très amusant
cet exercice d'équilibre pour franchir le Grand
Canal.

Lorsqu'elles arrivèrent au marché, une foule
s'agitait en un va-et-vient continu au milieu d'un
bruit assourdissant de cris et de paroles, de fracas
de bateaux de pêcheurs et de gondoles contre
le quai, sans oublier, en fond sonore, l'appel des

mouettes qui espéraient avoir une part du festin. La Pescheria était déjà bondée. Tout n'était qu'explosion de couleurs, invitations à la gourmandise, rires et commandes lancées à voix haute. Mathilde et Poppy se frayèrent un chemin à travers la population active et grouillante. De son côté, Anne, en appui sur une colonne en retrait, tentait tant bien que mal de croquer les pyramides d'esturgeons, de turbots, de cigales de mer de l'Adriatique, de coquilles Saint-Jacques géantes sur les étals. On y trouvait de tout : des bastions d'huîtres, d'oursins, de rougets, d'anguilles, d'espadons monstrueusement gros, d'araignées de mer, de seiches et de calmars.

Poppy traduisit pour Mathilde, qui n'arrivait pas à se décider entre un poisson ou des crustacés, la remarque qu'un poissonnier avait lancée à la cantonade.

— Il fait dire que le poisson a vingt-quatre vies. Il en perd une par heure. Dépêche-toi, si tu le veux frais !

Remarque aussitôt suivie d'un éclat de rire général. La réplique semblait célèbre, et les poissonniers la reprirent pour les autres clients qui, eux aussi, hésitaient encore.

La cuisinière en chef choisit finalement des crabes à carapace molle et un loup de mer assez gros pour nourrir une énorme famille. Puis les voyageuses passèrent du côté de l'Erberia, avec ses montagnes de légumes et de fruits tout aussi colorées que les étals de la poissonnerie. Mathilde se rendit au stand où elle avait l'habitude d'aller s'approvisionner. Après moult gestes, tentatives d'explication et éclats de rire, elle repartit avec de magnifiques *porcini*, des raisins succulents, des *carciofini*, artichauts violets de San Erasmo, et des fenouils. Les femmes longèrent une arcade et Poppy acheta un énorme bouquet de fleurs pour garnir la table. Elles firent un détour obligé à l'Antica Drogheria Mascari, qui a pignon sur la *ruga degli Spezieri*, la rue des vendeurs d'épices. Cette boutique unique en son genre est un véritable souk oriental où le parfum des épices se mêle à l'arôme du thé et des fruits secs. Mathilde y fit l'acquisition d'épices, de biscuits vénitiens, d'un très bon vinaigre balsamique et d'amandes pour la tarte qu'elle comptait confectionner pour le dessert. Poppy se chargea de faire le choix des vins qui accompagneraient ce repas digne d'un comte.

Toute cette fébrilité leur avait creusé l'appétit. À quelques pas de là, elles tombèrent sur une petite cantine installée à l'extérieur d'un restaurant. Elles crurent d'abord qu'il s'agissait d'une fête privée. En fait, les clients du *mercato* venaient y déguster un plat unique de poissons et de fruits de mer, le samedi après leurs achats. Pour douze euros, on obtenait une pleine assiette de *fritto misto* et un *calice* de *vino bianco*. On partageait, on faisait de la place aux nouveaux arrivants, on discutait, on rigolait. Mathilde, Anne et Paméla s'installèrent à une table où se trouvaient déjà deux personnes, Clara et Claudio, avec qui elles sympathisèrent.

Tous deux vénitiens – ils habitaient la Sérénissime depuis plus de soixante ans –, grands amateurs de bonne chère, ils fréquentaient assidûment le marché du Rialto, où l'on ne croise que peu de touristes. Pour le couple, faire le plein de denrées était une fête en soi. Ils venaient à bord de leur barque. Claudio, yeux clairs, teint frais, sourire avenant, était le chef attitré. Il adorait passer des heures à faire les courses. Sa compagne, toute menue, plus discrète, malicieuse, ne sortait jamais sans son appareil photo. C'était d'ailleurs son métier, « dans une autre vie ». Elle ne pouvait s'empêcher de prendre constamment des clichés des enfants, des passants, des scènes particulières. Le couple avait beaucoup voyagé – ils avaient d'ailleurs appris le français ainsi –, mais ils adoraient revenir vers leur cité chérie. Poppy leur demanda si ce n'était pas trop compliqué d'y vivre, alors qu'elle s'effrite de plus en plus. Clara avoua trouver difficile d'habiter à Venise en hiver, à cause de l'humidité.

— Même si Ernest Hemingway disait que « la vraie Venise, on ne la voit qu'en hiver », précisa-t-elle.

Claudio ajouta :

— Et il est difficile d'y vivre en été, à cause des touristes. En moyenne, vingt-trois millions de touristes par année viennent admirer les splendeurs de la cité, sous l'œil inquiet des soixante mille résidents qui veillent à préserver son âme !

La tablée de têtes grises et blanches dévora à belles dents le plat savoureux et le vin frais. À la question « Pourquoi venir à Venise ? » que posa Claudio, les réponses fusèrent. « Pour la peinture et l'air », répondit Anne. « Pour la bouffe et l'eau » fut la réponse de Mathilde. Poppy dit simplement qu'elle était là pour retrouver l'envie de vivre et de vieillir.

— C'est une ville assez inspirante pour ça ! Elle aussi a tendance à s'étioler, à perdre quelques-uns de ses morceaux.

Claudio raconta qu'il fut un temps où les « vieux » étaient protégés à Venise. Par exemple, à la fin du XIXe siècle, pour obtenir le droit de vendre du poisson, il fallait avoir au minimum cinquante ans et avoir été pêcheur pendant plus de vingt ans. Une façon comme une autre d'assurer à ces personnes leurs vieux jours et de leur éviter les dangers de la pêche.

Ils reprirent un autre *calice* de *vino*, ne serait-ce que pour pouvoir prononcer le mot qu'adorait répéter Mathilde. Claudio leur demanda si elles connaissaient également le *giro di ombre,* ce verre de vin que l'on prend debout au comptoir et qu'on appelle ainsi parce qu'on le servait autrefois près du campanile. On mettait le baril à l'ombre pour le garder au frais et, tout le jour, on suivait l'ombre. Les filles avouèrent qu'elles avaient surtout succombé au prosecco et au spritz. Clara leur fit part de l'origine du nom spritz que l'on donne à ce délicieux apéritif. Elle expliqua que c'était à cause des soldats autrichiens qui ne devaient pas trop boire et demandaient qu'on allonge d'eau gazeuse leur verre de vin blanc local. Ils tentaient de se faire comprendre en répétant l'onomatopée *sprittsss…* C'est ainsi que serait né le spritz.

Le petit groupe discuta aussi du projet «Mose» – Moïse –, qui était censé voir le jour dans quelques années et apporter aux Vénitiens la solution aux multiples *acque alte*, cause principale de l'effritement de Venise.

Le temps avait filé doux en agréable compagnie. Juste avant de se séparer, Clara fit une photo du groupe et promit de la leur envoyer par courriel, tandis qu'Anne remit au charmant couple le dessin qu'elle avait fait d'eux durant le repas.

— C'est pas tout, conclut Mathilde en montrant son chariot débordant de victuailles. Il faut aller préparer le festin pour monsieur le comte !

Mais avant de quitter le Rialto, Mathilde, qui avait déniché la boutique d'Emilio Ceccato où s'habillent tous les corps de métiers, dont les gondoliers, entraîna ses amies sous le *sotoportego* di Rialto pour y faire l'acquisition de deux écharpes rayées, l'une marine et blanc et l'autre dans les tons de rouge, pour offrir à ses neveux, question de les remercier des bons soins apportés à Kaïa tout au long de ce mois. Poppy se laissa tenter par une marinière traditionnelle de gondolier tandis qu'Anne fit l'achat d'un bonnet, rayé lui aussi, qui serait très pratique en attendant que ses cheveux repoussent.

Elles reprirent le *traghetto* pour le chemin du retour. Toutes trois restèrent silencieuses devant le spectacle nouveau, pourtant répété chaque jour, de la Sérénissime qui déployait, à leur intention, ses charmes avec élégance. La splendeur du passé les rattrapa une fois de plus et les laissa sans voix. Frissons d'eau, frissons de peau.

30

La soirée fut des plus mémorables. Mathilde s'était surpassée aux fourneaux, Anne avait veillé au décorum et Poppy, égale à elle-même, agrémenta la conversation de ses connaissances et de son espièglerie. Le comte se montra un invité charmant, affable et gourmand. Il était élégamment vêtu pour l'occasion. Un peu plus que lors de leur premier passage chez lui… Il portait un pantalon noir et une chemise blanche à jabot, et il semblait s'amuser de tout, tout le temps.

En plus du menu délicieux qu'avait concocté Mathilde – *primo piatto* : *pasta ai funghi porcini* ; second plat : crabes à carapace molle et loup au vin blanc ; légumes d'accompagnement ou *contorni* : fenouils braisés –, plusieurs sujets vinrent sur la table. Les trois femmes avaient beaucoup de questions à poser à leur invité.

— Rassurez-moi, lui demanda en premier lieu Paméla. Dites-moi que tous les chats n'ont pas disparu de Venise ?

— C'est vrai, ajouta Mathilde. Je m'attendais à trouver des chats étendus sur les places, les ponts, les bateaux… Je me faisais une joie de croiser une *mamma dei gatti.* On ne voit que des chiens avec leurs maîtres. Qu'avez-vous fait de vos chats ?

Massimiliano se montra d'abord énigmatique, puis il leur raconta ce qu'il savait des chats de Venise. Lorsqu'il prenait la parole, il habitait l'espace, tantôt avec panache ou encore enrobé de mystère. Chaque intervention de sa part était un spectacle en soi auquel il faisait bon assister. Il s'exprimait dans un français impeccable et très « vieille France », et ses propos étaient parfois teintés d'expressions toutes vénitiennes, aussitôt traduites par Poppy. Anne était fascinée par ses mains, longues et fines, et se promettait bien de les croquer dans ses cahiers, lorsque l'occasion se présenterait. « Cet homme a des mains aussi captivantes que ce qu'il raconte. Je ne me lasse pas de les regarder. C'est d'une élégance ! » confierait-elle à Mathilde.

— Au temps de la Sérénissime, le chat, allié des Vénitiens pour conserver la salubrité de la ville, était vénéré. La responsabilité de ces animaux d'utilité publique revenait à la population. Dans la tradition maritime vénitienne, ils étaient considérés comme étant porte-bonheur ; ils étaient inscrits par groupes de trois ou quatre sur les registres de bord, comme assurance et protection contre les assauts des rongeurs sur les marchandises transportées. Un matelot désigné avait charge de les nourrir et de les soigner à bord.

Le « soriano », leur expliqua-t-il, est le croisement entre un chat importé de Syrie sur les vaisseaux vénitiens et une race particulièrement agressive et combative, le chat de la lagune. En vénitien, on l'appelle le *surian*. Il précisa que des rumeurs couraient : certains disaient qu'ils avaient été décimés par le sida du chat, d'autres qu'ils avaient disparu dans les casseroles des Orientaux venus ouvrir des boutiques de babioles. C'est pourquoi les gens les gardaient désormais enfermés chez eux.

Il prit une longue gorgée de vin, qu'il savoura sans perdre le fil de sa pensée.

— Les vraies raisons de leur disparition résident dans la prolifération de maladies et leur nombre grandissant. Un organisme du nom de Dingo prend en charge les chats errants. Ils sont maintenant logés au Lido. On les stérilise, on en prend soin, on les recense et on les propose à l'adoption. Finalement, il y a encore beaucoup de chats à Venise, mais ils vivent à l'intérieur. Regardez bien par les fenêtres, vous les verrez, tapis derrière les rideaux. Vous avez raison, Venise n'est plus tout à fait la même sans ses chats, conclut Massimiliano. Vous devriez aller faire un tour à la Giudecca, on trouve quelques beaux spécimens de *suriani*. Ou mieux encore, allez du côté des jardins de l'Ospedaletto, la Scuola Grande di San Marco, près de Zanipolo, vous y ferez une belle découverte.

Comme Mathilde et Anne ne semblaient pas savoir où se trouvait cet hôpital, Paméla vint à leur rescousse.

— C'est dans Castello. Vous y êtes allées pour La Beppa. Les Vénitiens emploient le diminutif

« Zanipolo » pour parler de la basilique Santi Giovanni e Paolo.

— Vous feriez un excellent guide, déclara le comte.

— Plus maintenant, l'assura Poppy. Il y a certains jours où je cherche mes connaissances. Elles sont toutes classées dans le tiroir du bas et ne remontent pas à la surface. Je suis trop...

Elle laissa de côté le mot « vieille » qu'elle avait failli prendre et en choisit un autre.

— Je suis trop fatiguée, c'est ça.

Anne et Mathilde s'interrogèrent du regard. Cette déclaration ne ressemblait pas à leur Poppy, si joueuse, si pétillante. Mathilde en conclut qu'elle devrait la ménager pour le reste du voyage. C'est vrai qu'elle s'épuisait plus facilement, qu'elle cherchait ses mots, qu'elle hésitait plus qu'à l'ordinaire. Mais Venise n'avait pas la réputation d'être une ville reposante !

Tandis que Mathilde apportait la tarte aux amandes fraîches sur la table, Anne en profita pour amener la conversation sur un autre sujet, pour ne pas alourdir l'atmosphère. Elle demanda à Massimiliano comment les Vénitiens s'en sortaient avec les travaux d'entretien. Il éclata d'un grand rire franc.

— Venise est en perpétuels travaux. Depuis que je suis enfant, je n'ai jamais connu ce palais sans échafaudages.

Il se tut un instant, cherchant dans sa mémoire, puis il déclama avec talent :

— « Pauvre ville qui craque de tous côtés et qui s'enfonce d'heure en heure dans la tombe », disait M. de Balzac. Restaurer ou préserver, conserver ou moderniser, ce sont les dilemmes auxquels sont constamment confrontés les propriétaires des *palazzi*. Dès qu'un chantier se termine, un autre s'ouvre. C'est aussi cela, Venise : les coûts exorbitants, le transport des matériaux, les intempéries, les délais qui semblent impossibles à tenir… Ici, l'eau paraît tout ralentir, le temps ne s'écoule pas comme dans d'autres villes. Il y a une blague que les Vénitiens ont coutume de dire lorsqu'ils parlent d'un entrepreneur qui a promis de terminer les travaux en mai.

Il marqua un temps pour assurer plus d'effet.

— « Il t'a dit en mai. Mais il ne t'a pas dit quelle année ! »

Les trois femmes rirent beaucoup à cette anecdote tout en plaignant les pauvres résidents aux prises et avec les travaux de réfection, et avec l'eau qui détériore les bâtiments.

— Quelle idée aussi d'avoir construit une ville sur l'eau !

— Nenni, jeune fille, dit-il à Mathilde. Venise n'a pas été construite sur l'eau, mais sur la terre ferme. En fait, sur des bouts de terre ferme entourés d'eau.

Il leur raconta la construction de la Sérénissime sur une mosaïque de plus de cent soixante îlots au milieu d'une lagune marécageuse.

— Venise est un songe posé sur le bord de la mer… ajouta joliment Paméla.

Massimiliano continua son récit après avoir envoyé un baiser à Poppy, qu'il trouvait délicieuse.

— Les bâtisseurs vénitiens avaient du génie et ont eu recours à des techniques originales. La ville entière repose sur des pieux de bois. Cette forêt de pieux et la pierre d'Istrie, ce marbre résistant à l'humidité, ont fait la solidité remarquable des *palazzi*. L'église de la Salute est bâtie sur 1 106 657 pilotis de chêne, d'aulne et de mélèze ! Venise est une ville d'eau, choisie par ses premiers habitants parce qu'elle était inaccessible aux envahisseurs.

— Et maintenant, c'est l'eau et les touristes qui l'envahissent ! s'exclama Mathilde, tout en s'excusant d'en être une.

— Les Vénitiens disent que les touristes usent la cité de leurs regards, tandis que l'eau la berce d'illusions. Un jour, elle va disparaître. Comme l'Atlantide…

— Comme nous, ajouta Poppy d'une petite voix triste.

— Mais en attendant, on peut encore faire la fête ! dit Massimiliano sur un ton enjoué.

Il se leva et prit trois enveloppes de couleur crème qu'il avait déposées, à son arrivée, sur le guéridon de l'entrée.

— C'est pour vous. Vous êtes mes invitées.

Les trois femmes consultèrent illico l'invitation en question. On les conviait à un bal masqué privé au palais Zenobio. Le thème de cette soirée était nul autre que Giacomo Casanova. Au profit de ses amies, Poppy lut à voix haute la devise de cet illustre personnage qu'on avait inscrite sur le vélin : *Sequere deum*.

Elle en fit la traduction :

— Suivre le hasard… l'occasion, l'instant.

— La rencontre inopinée, la chance, la fortune, ajouta Massimiliano.

Mathilde, Anne et Paméla étaient enchantées. Quelle chance formidable ! Participer à un bal costumé !

Avant de partir, le comte remit à Mathilde la carte professionnelle d'une boutique où elles pourraient se procurer des costumes de Casanova.

— Dites que vous venez de ma part. Ils vous feront un prix spécial de location.

Puis il se pencha vers elle et lui murmura, avec un sourire taquin, qu'il était enchanté qu'elle ait un nouvel ami vénitien. Voyant que Mathilde ne semblait pas comprendre son allusion, il expliqua l'avoir vue en compagnie du gentil muet devant le conservatoire.

— Cet homme est muet ? demanda Mathilde, étonnée.

— Pas vraiment, rétorqua Massimiliano, mais on le surnomme ainsi parce qu'il parle vraiment peu. Il écoute, surtout. *Ciao, ciao, belle !* Au revoir, les belles, lança-t-il avant de s'installer dans la chaise-ascenseur.

— *Grazie mille per tutti*, répliqua Poppy en lui soufflant un baiser.

Ce à quoi il répondit :

— *Arrivederci !*

31

En feuilletant son carnet de notes, Mathilde avait réalisé que c'était bien la bonne journée. Elle avait inscrit le 21 novembre comme une date à retenir. C'était aujourd'hui que l'on célébrait la fête de la Salute, et elle ne voulait absolument pas rater cet événement. Depuis près de quatre siècles, les Vénitiens profitent de cette journée pour faire leur pèlerinage afin de rendre grâce à la *Madonna della Salute*, à qui l'on attribue l'éradication de la terrible épidémie de peste qui a sévi en 1630-1631. *Salute* signifie à la fois « santé » et « salut » en italien. C'est pour manifester leur reconnaissance qu'ils avaient fait construire, à l'embouchure du Grand Canal, à deux pas de la Punta della Dogana – la pointe de la douane de mer –, cette immense église, majestueuse expression du baroque vénitien. La forme octogonale de la basilique Santa Maria della Salute devait évoquer une couronne dédiée à la Vierge. Mathilde ne se lassait pas d'admirer, de jour comme de soir, ce monument phare lors de ses déambulations. Tantôt la lumière y faisait des étincelles, semblant mettre le feu à sa coupole, tantôt celle-ci se trouvait abritée sous une mante de brume pour la protéger des intempéries.

Depuis son arrivée, Mathilde aimait Venise d'amour. Bien qu'habitant dans un *palazzo*, elle avait constamment besoin d'être à l'extérieur. Dès qu'elle franchissait les grilles du *cortile*, elle était submergée par l'émotion. Tout dans cette ville l'émouvait, la bouleversait au plus haut point. Elle n'avait jamais rien ressenti d'aussi puissant de toute sa vie. Et elle n'arrivait pas encore à cerner ce qui la touchait tant, dans cette cité flottante qui n'avait rien de banal. Était-ce le passé qui s'agrippait à mains fermes à ses *palazzi*, l'empêchant de s'habiller de modernité ? L'absence de voitures et de bruits de klaxons, ou encore le manque de publicités criardes sur ses murs ? Était-ce l'eau, finalement, qui conférait à cette île sa magie ?

La veille, Paméla les avait prévenues :

— Si le fait de vous retrouver dans une foule compacte et impressionnante ne vous effraie pas, alors oui, allons à la Salute demander la santé pour le reste de l'année.

Leur amie leur avait appris que l'architecte Baldassare Longhena, qui avait imaginé la Salute, avait trente-deux ans lorsqu'il avait commencé sa construction et qu'il y avait consacré toute sa vie. Elle leur mentionna également que, la veille de la fête, les Vénitiens mangent en famille, chez eux ou au restaurant, la *castradina*, plat traditionnel fait de viande de mouton castré, que l'on sert séchée et fumée, accompagnée de choux.

Elles partirent toutes trois de bon matin. Pour faire comme les Vénitiens de souche, elles se rendirent d'abord au pont votif jeté sur le Grand Canal pour l'occasion. Ce *ponte*, qui prenait son départ sur le *campiello* del Traghetto dans San Marco et qui aboutissait presque au pied de la Salute, était déjà envahi par une foule énorme, et il en serait ainsi toute la journée et toute la soirée ; en fait, la fête s'étirait sur trois jours. Mathilde, Poppy et Anne se joignirent avec plaisir aux habitants de Venise pour emprunter ce pont de bois et de métal qui reposait sur d'anciennes barques. Des Vénitiens avec leurs enfants, certains en poussette, des vieillards marchant lentement, aidés de cannes ou en fauteuils roulants, ainsi que de rares touristes traversaient en silence le pont, tradition oblige. De l'autre côté, une autre coutume incontournable : l'achat des cierges. Des marchands attendaient la foule des pèlerins avec des cierges blancs de toutes les grandeurs. Les trois femmes en achetèrent en quantité. « On a tellement de grâces à obtenir », mentionna Poppy au vendeur. Vint ensuite l'attente pour entrer dans l'église. En y pénétrant enfin, elles suivirent le cortège qui se dirigeait vers un imposant présentoir où l'on installait les cierges. Impensable, dans une assemblée aussi dense, d'allumer soi-même ses bougies ; les Vénitiens sont extravagants parfois, mais pas fous ! Pour éviter tout risque d'incendie, seuls les préposés assignés à cette tâche s'en chargeaient ; moines, scouts, ou autres volontaires prenaient les cierges des mains des pèlerins et les allumaient pour eux, avant de les déposer sur les socles. Mathilde fit remarquer à Anne comment l'un d'entre eux peinait pour tirer sous le présentoir une énorme caisse remplie de cire fondue. Aidé d'un confrère, il allait porter son fardeau vers la sacristie. La cire était sans doute recyclée. Au rythme où les fidèles apportaient leurs cierges, ils ne chômeraient pas dans les jours à venir.

Il régnait un tel recueillement que les trois femmes, entourées de centaines de personnes, respectèrent cette tradition dans le plus grand silence. Même si elle n'était pas pratiquante, Mathilde demanda que sa sœur, son mari et leurs enfants se portent bien. Elle eut une petite pensée pour Kaïa. Puis, elle réclama pour elle-même des moments doux, des instants de calme, et surtout beaucoup de joie. En fait, tout ce qui lui avait manqué jusque-là.

Anne ferma les yeux et joignit les mains. Récemment, elle avait confié à Mathilde qu'elle avait constaté que, lorsque la maladie leur tombait dessus, presque tous les malades se tournaient, à un moment ou un autre, vers la prière. « Tu comprends, avait-elle dit, le tapis vient de s'enlever brusquement sous nos pieds. On a beau être courageux, croire en la médecine, vouloir s'en sortir, désirer vivre plus que tout, à certaines étapes de la maladie, il ne nous reste plus rien à quoi s'accrocher. Alors, même si on n'est pas croyant, on se surprend à prier ! Et fort ! Je peux te le garantir ! »

Anne pria pour recouvrer la santé, convaincue que la Madone de la Salute était la personne par excellence à qui l'on pouvait s'adresser pour un tel vœu, mais elle supplia également qu'on s'occupe de son fils. « Que quelqu'un dans l'Univers le prenne en charge, moi, je n'y arrive plus. »

Poppy se concentra elle aussi. Son beau visage, légèrement froissé par les années, était réchauffé par la lumière des centaines de bougies. Elle murmura une prière dont on sentait toute la ferveur. Mathilde regardait cette femme âgée, mais si jeune dans son cœur. Elle imaginait sa prière à la Madone noire. Elle savait ce que sa nouvelle amie désirait le plus : garder toute sa tête jusqu'au bout et que son corps résiste, le plus longtemps possible, aux intempéries de la vie.

Puis, Paméla les entraîna en direction du maître-autel pour y admirer la fameuse Vierge noire et l'enfant, œuvre byzantine rapportée de Crète. Elles firent la visite des six chapelles rayonnantes à partir du déambulatoire et observèrent les trois superbes peintures du Titien qui ornaient le plafond. Elles se rendirent à la sacristie pour goûter l'œuvre maîtresse de Tintoret, *Les Noces de Cana*, dans laquelle il s'est plu à se représenter en compagnie de ses amis « apôtres ».

Elles ne manquèrent pas de céder aux charmes d'une autre tradition. Sur les recommandations de Poppy, à tour de rôle, attendant patiemment que l'espace soit libre, elles se tinrent quelques instants au centre de la rosace en mosaïque qui ornait le sol, sous l'immense coupole. La légende veut qu'on y puise de l'énergie et y obtienne des grâces. Elles refirent le rituel toutes les trois ensemble à la fin de la messe.

Il y avait des gens partout. Certains sur des bancs, d'autres agenouillés sur des prie-Dieu, d'autres assis dans les marches des chapelles latérales. C'est d'ailleurs là qu'Anne s'installa un moment, crayons et carnet à la main. Mathilde se sentait bien dans cette foule recueillie, enveloppée par l'odeur de l'encens. Elle se trouvait en quelque sorte protégée. Cela lui rappelait son enfance lorsque son père les emmenait, elle et Martine, faire le tour des églises, certains dimanches, tandis que leur mère se reposait. Ce temps de silence était délicieux.

Sortir de l'église se fit assez facilement, mais la suite posa problème. Le parvis était rempli de gens, mais la seule issue possible était une rue très étroite et tous les pèlerins s'y engouffraient en même temps, guidés par des gendarmes. Il fallait s'armer de patience ; ce que tout le monde autour d'eux semblait faire. Elles aboutirent finalement dans cette fameuse *calle,* où une agréable surprise les attendait. À gauche flottaient dans l'air des ballons de toutes les couleurs, que des vendeurs retenaient pour les empêcher de s'envoler, faisant l'envie des enfants, et à droite, on trouvait une multitude d'étalages débordants de bonbons, de gâteries de toutes sortes : des beignets appelés *frittelle,* des *pinocade,* petits gâteaux d'anis et de pignons, des châtaignes grillées, du nougat et même de la barbe à papa. Mathilde, Poppy et Anne se laissèrent tenter et goûtèrent à presque tout : trois fillettes gourmandes qui se régalaient.

— Après ça, on risque le coma diabétique ! commenta Paméla.

Pour terminer cette journée, elles allèrent du côté de l'hôpital adjacent à l'église Santi Giovanni e Paolo. Elles pénétrèrent dans l'enceinte de la Scuola Grande di San Marco, visitèrent la bibliothèque où l'on trouvait, sous de somptueux plafonds ouvragés or et rouge, une exposition d'instruments de chirurgie qui donnaient froid dans le dos. La tournée des lieux fut rapide pour épargner à Anne la vue de ces instruments de torture. Elles se tournèrent plutôt vers la pièce voisine, qui abritait de fabuleux livres anciens de tous les siècles, dont plusieurs en français, et des copies des tableaux du Tintoret et de Véronèse, les originaux se trouvant au musée Académie. Poppy en profita pour demander au gardien où se trouvaient les fameux jardins qui abritent les chats, dont leur avait parlé le comte. On les y emmena. Après une longue marche dans des couloirs sans fin, elles aboutirent devant un petit jardin assez dénudé, compte tenu de la saison. Et le spectacle les enchanta : des chats, de toutes les tailles et de toutes les couleurs, par dizaines. Des cabanes leur servaient d'abris pour la nuit et lors des intempéries, et des écuelles leur permettaient de se sustenter. Aux dires du gardien, il y avait toujours quelqu'un pour les nourrir. Elles restèrent à les observer, à les câliner. Anne s'installa une fois de plus pour dessiner. L'exercice s'avéra plus difficile puisque plusieurs félins venaient jouer avec son crayon. Peut-être essayaient-ils d'améliorer leur portrait? Les trois femmes passèrent un moment fort agréable et furent rassurées: Venise possédait encore ses chats. Et quels chats!

32

Mathilde sirotait son café devant les immenses fenêtres du salon. La vue y était toujours aussi fascinante. Elle ne se lassait pas d'assister à ce ballet continu des embarcations, grandes et petites, à la vie qui grouillait déjà sur le Grand Canal, malgré l'aube. Elle était contente de constater que la ville – même en l'absence de ses touristes due à la basse saison – avait sa propre existence, que des gens y travaillaient et y vivaient. Venise avait son rythme particulier, réglé par l'eau qui tentait de la ralentir. Certains jours, elle donnait l'image d'un tableau figé dans le temps à cause de son histoire emprisonnée dans ses pierres et ses marbres, et lorsqu'on déambulait le long des canaux, elle semblait prise au piège des algues qui continuaient de la retenir captive de ses eaux.

Bien que la ville fût au ralenti, un sentiment d'urgence avait réveillé Mathilde en pleine nuit et elle n'avait pu refermer l'œil. Elle s'était levée sans faire de bruit, était allée à la cuisine se préparer un café, s'était plongée quelque temps dans la lecture du très beau livre qu'elle s'était offert sur Aldo Manuzio, surnommé « le Michel-Ange du livre ». Incapable de retrouver le sommeil, elle avait ensuite feuilleté l'un des multiples guides sur Venise mis à la disposition des locataires de l'appartement. En parcourant les pages, elle avait réalisé tout ce qu'elle n'avait pas encore visité. Mathilde ne se sentait pas prête à quitter cette ville qui lui redonnait l'envie de vivre, qui lui procurait ces soulèvements d'âme si nécessaires à son existence. Ils lui avaient tellement fait défaut durant toutes ces années ; elle se demandait comment elle avait pu s'en passer. À partir de maintenant, le décompte était commencé. Il ne lui restait que peu de temps pour découvrir, savourer, apprécier Venise, si intense et riche à tous points de vue. Les jours filaient à vive allure.

Ses amies et elle avaient fait énormément de belles visites. Elle se remémorait les lieux, les expositions au fil des pages. La tournée des *palazzi*, dont le Giustinian, où Richard Wagner écrivit le deuxième acte de *Tristan et Iseult*, le palais des Doges et ses immenses tableaux, ses prisons si sombres et son pont des Soupirs, la Ca' Rezzonico pour la fameuse fresque *Le Nouveau Monde*, de Tiepolo, la Ca' d'Oro pour ses somptueux balcons et sa vue imprenable, le Grassi pour sa merveilleuse exposition si surprenante sur la lumière. Ses quartiers à l'histoire si riche et colorée, comme le ghetto hébraïque où étaient confinés les juifs à la tombée de la nuit, dans le quartier des fonderies, ou encore Castello, où les habitants peuvent discuter d'une fenêtre à l'autre de la rue tant elles sont rapprochées, Dorsoduro et ses étudiants qui aiment faire la fête, Cannaregio, avec ses cordes à linge et la maison de Marco Polo... Et toutes ces églises, plus magnifiques les unes que les autres. Ces nombreuses îles de la lagune également, qui présentent chacune leur spécialité : Murano et son verre, Burano et ses dentelles, le Lido et ses plages, San Michele et ses morts.

Elle se rendait compte que ce mois passait trop rapidement et qu'elle n'aurait jamais le temps de tout voir, de tout faire, de prendre toute la beauté que la Sérénissime donnait. Dans l'appartement endormi, Mathilde comprenait, tout à coup, que Venise est une ville qui se laisse apprivoiser petit à petit, qui ne dévoile ses charmes qu'au compte-gouttes, qui ne donne accès à son âme qu'à ceux qui ont du temps à lui consacrer. Mais du temps, il en restait peu. Mathilde pensa à l'expression «voir Venise et mourir». Elle pouvait en comprendre le sens, mais contrairement à ce que disait l'adage, Venise lui avait surtout permis de vivre intensément, de voir toutes les possibilités que la vie lui offrait encore. Il en était de même pour ses deux compagnes de voyage. Anne reprenait des forces, se pardonnait tranquillement, avait renoué avec le dessin, elle qui avait tant de talent. Elle avait décidé de se choisir en ne se laissant pas entraîner dans la spirale infernale qu'avait adoptée son fils. Mathilde avait fait de même, en laissant sa mère quitter cette vie en emportant avec elle sa hargne et sa colère. Poppy, quoique plus fatiguée, gardait son bel éclat. Il ne restait plus rien de cette femme frêle qui un jour lui avait demandé de la tirer de son mouroir. Elle était fragile, certes, mais encore tellement vive. Bien sûr, elle oubliait des choses, elle avait parfois l'air perdue, mais n'était-ce pas l'indice de la vieillesse qui attend tout le monde ? Malgré tout cela, elle était superbement en vie. Beaucoup plus même que certains jeunes qu'elle trouvait amorphes à dix-huit ans et à qui elle avait coutume de dire que c'était dommage pour eux, qu'ils allaient trouver le temps affreusement long puisqu'on n'allait les enterrer qu'à quatre-vingts ans passés ! Au fil des jours, elle était devenue pour Anne et Fitz un modèle.

Aussitôt qu'elle le put, Mathilde sortit faire les courses du petit-déjeuner. Elle se rendit à l'*alimentari* du quartier où elle avait ses habitudes. On la reconnaissait, on la servait avec le sourire. Elle avait appris de nouveaux mots italiens. Étonnamment, ils tournaient tous autour de la nourriture…

À son retour, comme il faisait un temps splendide, Mathilde suggéra à ses compagnes d'aller visiter, ce matin-là, le campanile de la *piazza* San Marco. Elles pourraient ainsi avoir une vue d'ensemble de la Sérénissime. Bien au-dessus de la *piazza*, le regard pouvait se poser sur la ville et sur la lagune.

Elles se rendirent donc à la tour qui, heureusement pour les articulations de tout le monde, possédait un ascenseur. Elles purent admirer la cité entière, qui, au sol, se prend par petites tranches, par petites bouchées à la fois. Dès qu'on se trouvait au sommet du campanile, il était plus aisé d'en comprendre l'ensemble, de repérer les îles avoisinantes, de reconnaître les quartiers, de contempler la lagune. Elles admirèrent au passage les cinq cloches aux noms évocateurs : *marangona* qui marquait le début et la fin de la journée de travail, *maleficio* qui annonçait les exécutions, la *nonu* qui sonnait midi, sans oublier la *mezza terza* et la *trottiera* qui s'adressaient surtout aux sénateurs du palais des Doges. Par chance, les cloches ne sonnèrent qu'une fois qu'elles furent redescendues sur la *piazza*.

Poppy décréta qu'un séjour à Venise sans un tour de gondole n'était pas complet. Elles avaient toutes trois hésité à faire cette dépense jusque-là. Mais ce jour-là, Poppy se sentait prête à négocier elle-même le tarif.

— Ça se fait selon la tête du client ? demanda Anne.

— Avec nos jolies têtes, ça devrait marcher, déclara Poppy, bien décidée à marchander cette balade.

Elles tombèrent sur un gondolier tout à fait charmant du nom d'Adriano. Les pourparlers durèrent quelque temps, chacun tenant son bout. Mathilde et Anne restaient à l'écart et observaient la manœuvre. Sourire, œil noir, main sur le cœur, chaque arme de persuasion était employée. Avec son charme habituel, Poppy eut tôt fait d'amener

Adriano à leur proposer un prix raisonnable. Celui-ci était un gondolier de la vieille école qui adorait encore son métier et l'exécutait toujours, semblait-il, avec plaisir. La virée fut des plus agréables. Adriano raconta que ce métier était une affaire d'hommes, que la tradition, vieille de mille ans, se transmettait encore de père en fils. Une légende disait même que les *gondolieri* naissaient avec les pieds palmés pour marcher sur l'eau !

Il leur montra ses *palazzi* favoris, discourut un peu sur le *palazzo* Dario, d'apparence bancale, orné de médaillons de marbre polychrome. Woody Allen avait failli en faire l'acquisition, mais avait vite renoncé. Ce palais avait vu tant de morts suspectes et brutales et de suicides au cours des siècles qu'on le disait hanté.

— Si les murs de la Ca' Dario pouvaient parler... conclut le gondolier.

Lorsqu'elles remontèrent sur le quai, en gentilhomme, il fit à chacune le baisemain.

Elles cassèrent la croûte dans une pizzeria et convinrent de se séparer pour un après-midi en solo. Paméla avait envie d'une sieste. Anne irait la reconduire et récupérerait par la même occasion son matériel de dessin. Elle souhaitait croquer quelques-uns des puits si joliment ouvragés de la ville. À ses dires, certaines margelles étaient de véritables œuvres d'art et valaient le détour. Et du même coup, elle voulait dessiner les *altane*, ces terrasses sur les toits. Chemin faisant, Poppy lui raconta que, de nos jours, posséder une *altana* était un plus. Ce petit balcon artificiel est utilisé comme une terrasse d'agrément qui permet de profiter des beaux jours. Autrefois, ces terrasses avaient un autre usage. Les Vénitiennes s'y installaient, en plein soleil, cachaient leur visage pour le protéger des rayons trop ardents et faisaient dorer leurs cheveux à l'aide de produits spéciaux pour ainsi obtenir le fameux blond vénitien.

Poppy et Anne demandèrent à Mathilde à quoi elle allait employer son temps libre. Celle-ci rougit, puis se reprit rapidement.

— Oh… euh… je vais m'arrêter, çà et là, pour prendre des notes dans mon cahier. Je vais marcher au hasard. J'adore me perdre, dit-elle en riant.

— Il n'y a pas de meilleure façon de saisir cette ville, affirma Poppy.

Anne, pour sa part, ne fut pas dupe. Elle se doutait que son amie allait en fait s'envelopper de musique. Elle pensa à cette phrase de Marcel Proust que Mathilde avait notée et dont elle lui avait fait part. Elle collait tout à fait à la nouvelle réalité de son amie: «Le seul véritable voyage, ce ne serait pas d'aller vers de nouveaux paysages, mais d'avoir d'autres yeux.»

33

Tandis que Paméla faisait sa sieste quotidienne, Anne s'installa sur les marches d'une rue minuscule qu'elle avait mis un temps fou à trouver. Les indications qu'on lui avait données étaient toutes plus erronées les unes que les autres. Elle sortit carnet et graphites et, bien que plutôt inconfortablement installée, elle se mit à dessiner l'escalier extérieur en forme de colimaçon qui se dressait dans la cour du *palazzo* Contarini del Bovolo. Depuis qu'il y avait des crayons à dessiner entre ses doigts, elle avait la sensation de tenir enfin quelque chose. Sa vie lui échappait moins qu'avant.

Mathilde Fitzgibbons, elle, courait vers un rendez-vous dont personne ne connaissait la teneur. Même pas elle, finalement. Qu'allait-elle chercher exactement ? Un concert de musique gratuit ? L'appartement débordait de disques classiques qu'elle avait tout le loisir d'écouter. Un café ? Elle pouvait très bien se l'offrir. Ce petit monsieur qui semblait si gentil ? Elle ne savait rien de lui, à part l'information fournie par

Massimiliano, selon qui cet homme était aimable et ne parlait pas ou très peu. Pour un Italien, la chose était étrange !

Au moment où elle se dirigeait vers le *campiello* Pisani, elle l'aperçut qui revenait sur la place Santo Stefano. Il tenait à la main deux tasses de café. Elle avait raté leur rendez-vous. À moins que la tasse ne fût destinée à quelqu'un d'autre ? Il alla rendre les deux tasses au comptoir du café et prit, au pas de course, l'étroite rue Spezier à sa droite. Mathilde décida de lui emboîter le pas. Après tout, suivre un Italien dans Venise, c'était une autre façon de s'approprier la ville. L'homme avançait rapidement. Au détour d'une ruelle, elle crut le perdre. Un instant, il sembla avalé par la foule – à Venise, une *calle* peut être vite envahie, même s'il n'y a pas tant de gens qui l'empruntent. Puis il réapparut dans une rue marchande. Il fit quelques pas, s'arrêta devant une échoppe minuscule, sortit une clé de sa poche, ouvrit la porte et entra. Une sonnette tinta à son passage. Mathilde attendit un bon moment avant de s'approcher. Personne n'entrait dans cette boutique, dont la devanture était en partie masquée par le balcon du dessus. Elle n'arrivait donc pas à en connaître la nature. Et en venant plus près, elle risquait de se mettre à découvert.

Elle se plaisait à rester en appui sur ce mur décrépit et patiné par le temps, dans cette ville nénuphar, cette ville à fleur d'eau qui rendait ses visiteurs à fleur de peau. Elle avait trouvé dans un ouvrage écrit par Philippe Sollers cette réflexion sur le secret de la Sérénissime : « Venise est un amplificateur. Si vous êtes heureux, vous le serez dix fois plus. Malheureux, cent fois davantage. Tout dépend de votre disposition intérieure et de votre rapport à l'amour ! » Elle se surprit à sourire de son comportement. Jamais auparavant elle ne serait restée à épier les faits et gestes d'un homme. En même temps que la pluie se mit à tomber, la musique de Verdi explosa en provenance de la boutique. Sous l'effet du plein volume, les vitres vibraient. Puis la porte s'ouvrit, donnant à voir le petit monsieur qui la regardait comme s'il était tout naturel qu'elle soit là, contre le mur d'en face, essayant tant bien que mal de se protéger de la pluie qui lui dégoulinait dans le cou. Il avait enfilé un long tablier qui était truffé de copeaux de bois. Il lui fit signe de s'approcher. Elle hésita une fraction de seconde et se décida à pénétrer dans la boutique. Au passage, il la gratifia seulement d'un hochement de tête en guise de salutation.

Mathilde se sentit d'abord comme une intruse, un éléphant dans une boutique de porcelaine. Partout où son regard se posa, elle vit des outils de précision bien alignés au mur, des livres anciens, des pots de colle et de vernis, et des pinceaux en grand nombre qui reposaient soit sur les tablettes, soit à l'intérieur de grands verres. Sur un large établi se trouvaient des formes de violons et de violoncelles. Un gros chat roux se tenait assis entre les copeaux et fixait Mathilde intensément de ses yeux jaunes. Elle se rendit à peine compte que celui qu'elle appelait en secret « le petit monsieur » l'aidait à enlever son manteau. Au-dessus de leurs têtes étaient suspendus au plafond une multitude de violons, de violes de gambe, de mandolines et de violoncelles. Sous ses pieds, des morceaux de bois jonchaient le sol.

Mathilde se détourna du décor pour regarder enfin l'homme, qui bien sûr n'avait dit mot. Elle se présenta. Il fit de même, en plaçant sa main au niveau de son cœur.

— Battista.

À cause de la musique qui emplissait tout l'espace, elle eut de la difficulté à comprendre la suite. Il lui demandait si elle parlait italien. Elle fit signe que non, puis se ravisa.

— *Poco*, dit-elle.

Amusée par ce qu'elle s'apprêtait à ajouter, elle se mit à énumérer gaiement les mots qui faisaient partie de son quotidien depuis quelques semaines :

— *Fico, nocciola, pera, aglio, carciofo, cipollini, finocchio, funghi, zucchini, peperoni...*

L'homme rit franchement en reconnaissant les mots « figue, noisette, poire, ail, artichaut, oignons, fenouil, champignons, courgettes, poivrons » et autres *frutta e verdura* que le vocabulaire restreint de Mathilde pouvait contenir. Il observa longuement cette femme qui semblait bien gourmande. Son regard était très doux. Puis il s'agita, lui fit signe de ne pas bouger en levant son index et sortit précipitamment de la boutique. La clochette retentit de nouveau. Malgré sa timidité, Mathilde se sentait bien dans ce lieu empli de musique, où les odeurs mélangées d'essences de bois, de résines, de colles, de teintures de toutes sortes étaient enivrantes. Le chat vint se coller à elle. Il ronronnait d'une jolie mélodie. Battista revint quelques instants plus tard, tenant dans ses mains deux petites tasses de café. Fidèle à ses habitudes, il lui en tendit une. Il fit les présentations et lui parla d'Amaretto, son gros matou roux qu'il affectionnait particulièrement. Tout en dégustant le contenu de sa tasse, il se mit à lui faire cadeau de tous les noms des types de *caffè* que l'on peut commander à Venise, en l'incitant à les répéter. Il prononçait ces vocables comme autant de mots tendres.

— *Espresso, doppio, ristretto, lungo, macchiato, corretto, corto, latte, crema...*

Mathilde savourait le café, la musique et l'homme.

Elle se réveilla doucement, s'étira langoureusement. Puis elle se souvint. L'affichette *Chiuso* installée à la porte de la boutique barrée à double tour, les rideaux tirés, les vêtements précipités au sol, Verdi et la lumière tamisée. Et le petit monsieur, et les caresses, et les baisers, la table de travail dont on avait enlevé les copeaux et les objets qui la recouvraient. Et puis le désir, l'envie folle que ça se passe, là, maintenant, même si tous les deux savaient pertinemment qu'il n'y aurait pas de suite.

Elle était allongée sur le côté, un coude en appui sur l'établi, son corps enveloppé d'un drap blanc ; le gros matou roux était couché sur ses pieds, comme s'il donnait son accord à ce qui venait de se passer entre elle et son maître. Mathilde reprenait peu à peu contact avec la réalité. Battista, lui, avait repris son travail. Il lui jetait de temps en temps un regard amusé. En face d'elle, sur une console, un violoncelle était posé. En se remémorant les mains de l'homme un peu rêches sur sa peau, elle comprit tout à coup, à la vue des courbes du grand instrument qui lui faisait face, la manière dont il l'avait caressée. Le petit monsieur de peu de mots, luthier de son état, avait sculpté son corps comme un instrument de musique. Il avait réussi à faire émaner d'elle une complainte douce, en faisant vibrer sa chair et son âme.

Il faisait déjà nuit lorsqu'elle rentra au *palazzo* en empruntant un parcours qui semblait improvisé, mais qui était la trame de raccourcis et de détours qu'elle avait appris à tisser au fil des jours, savant labyrinthe qui donne l'impression d'être chez soi. Des larmes coulaient sur ses joues, mais c'est le cœur en joie qu'elle pénétra dans l'appartement. Elle fut accueillie par une Anne inquiète.

— Paméla est avec toi ?

— Non ! Pourquoi ?

— Elle a disparu…

34

En rentrant à l'appartement, en fin d'après-midi, Anne était allée chez Massimiliano pour voir si Poppy s'y trouvait en compagnie de ce dernier. C'est la femme de ménage qui avait répondu à la porte. Après quelques palabres et moult gestes, Anne avait fini par comprendre que monsieur le comte était à Padoue jusqu'au lendemain et que personne d'autre n'était venu, aujourd'hui.

— Fitz, son manteau et ses bottes ne sont pas dans le placard de l'entrée. Donc elle est sortie !

— Où peut-elle bien être ? s'inquiéta Mathilde.

— Avant de quitter l'appartement pour aller dessiner, vers trois heures, je suis allée la voir dans sa chambre. Elle dormait encore. Je suis sortie sans faire de bruit. Et comme tu ne restes jamais très longtemps dehors, j'ai cru que tu rentrerais avant moi ou qu'elle irait te rejoindre quelque part.

Mathilde devint cramoisie. Anne mit cette rougeur soudaine sur le compte de l'émotion.

— Je… je me suis attardée ! J'aurais dû rentrer plus tôt. Il est sept heures passées…

Mathilde réalisait qu'elle avait baissé sa garde les derniers jours, malgré la promesse qu'elle s'était faite d'accompagner Poppy plus assidûment.

Après vérification, les deux amies virent qu'il n'y avait aucun message sur l'iPad d'Anne, ni de message texte sur le cellulaire de Mathilde. Paméla ne se servait jamais de ces outils, mais elles avaient quand même établi ce code pour se joindre, si nécessaire.

— Si ça se trouve, tenta de raisonner Anne, elle est allée se balader. Elle connaît Venise comme le fond de sa poche ! Ou alors elle prend l'apéro à une terrasse, en agréable compagnie. Son petit sac en cuir rouge n'est pas dans sa chambre. Elle n'est pas sans ressources.

Anne essayait de se rassurer sur le sort de sa nouvelle amie. Bien sûr, Paméla avait soixante-quinze ans bien sonnés, mais elle parlait couramment l'italien et se liait facilement d'amitié avec tout le monde. Elles s'affolaient peut-être pour rien.

— Tu as raison. Avant de paniquer, on devrait aller voir sur le *campo*, dit Mathilde.

Elle saisit son manteau. Anne assurerait la permanence, au cas où elles se croiseraient sans se voir.

En descendant l'escalier, Mathilde crut entendre une voix à l'étage. Ce devait être le voisin de palier. Elle partit, le cœur battant la chamade. L'obscurité n'aidait en rien à la calmer. Elle refit le chemin qu'elles empruntaient quotidiennement, entra dans le resto du coin de la *calle* delle Botteghe où elles avaient mangé quelques fois. Le serveur la reconnut. Il l'assura que Paméla n'était pas venue. Elle entra dans un restaurant pour touristes qu'elles s'étaient juré de ne pas fréquenter, puis fit un saut au petit bar de la même rue. Tous deux étaient déserts et s'apprêtaient à fermer. Une fois sur le *campo* Santo Stefano, elle arpenta toutes les terrasses où elles avaient pris leurs habitudes, au cas où Poppy s'y serait attardée. Elles étaient presque vides, le mauvais temps ayant dû décourager les clients. Mathilde entra au café où elles allaient souvent, visita le restaurant voisin et les autres, où elles n'avaient jamais mis les pieds. « On ne sait jamais », se dit-elle.

Comme elle avait fait, à l'occasion, quelques *selfies* en compagnie de Poppy, Mathilde eut l'idée de sortir son téléphone intelligent et de montrer les photos aux serveurs. Tout le monde secouait la tête. L'un d'eux déclara en revanche l'avoir vue en début de soirée sur la place.

Mathilde indiqua de la main les deux directions possibles. Il montra la rue qui menait à l'appartement. Le cœur gros, Mathilde revint sur ses pas. Elle envoya un message à Anne, attendit la réponse. Paméla n'était toujours pas rentrée. Elle courut vers le *palazzo*, priant pour un miracle. Elle dépassa la petite rue donnant sur la grille et se rendit à la station du *vaporetto*. Elle espérait trouver son amie à la descente du bateau. Comme la pluie avait cessé en début de soirée,

Paméla avait peut-être eu l'idée d'aller faire une sortie sur le Grand Canal. Mathilde l'attendit quelque temps, puis décida de rentrer. Anne et elle n'avaient pas d'autre choix maintenant, il fallait appeler la police.

Une fois à l'appartement, en compagnie d'Anne, Mathilde fouilla les lieux à la recherche d'un bottin téléphonique. Lorsqu'elle joignit le poste de police, elle s'arma de patience, supplia qu'on lui passe quelqu'un qui parlait anglais à défaut du français et signala la disparition de Paméla.

— C'est un peu tôt pour mettre la police sur le pied de guerre, lui dit un policier, baragouinant quelques mots de la langue de Shakespeare. Qui est cette dame ? Votre mère ? Votre sœur ?

— Une amie. Elle est débrouillarde, mais elle a soixante-quinze ans…

— Est-ce que vous êtes totalement inconsciente ? vociféra l'homme dans l'appareil. Qu'est-ce qu'une femme de cet âge peut bien faire seule à l'extérieur de sa maison et à cette heure ? Les vieilles dames sont au lit, normalement.

Mathilde ne sut que répondre. Poppy n'avait tellement pas l'air d'une vieille femme perdue qu'il faut garder sous clé… Le policier se calma.

— Est-ce que vous avez appelé les hôpitaux ?

Ni Mathilde ni Anne n'y avaient songé.

— Je peux faire ça pour vous, lui dit-il. Comme vous ne parlez pas italien, la barrière de la langue risque de compliquer les choses.

Même s'il ne pouvait alerter les autorités si tôt, il inscrivit malgré tout la disparition, nota le numéro de passeport de Paméla et assura Mathilde qu'on les rappellerait plus tard en soirée. Si, de son côté, elle avait des nouvelles...

Mathilde raccrocha, découragée. Puis elle se leva de son siège. Et si Massimiliano était rentré plus tôt de voyage ? Il pourrait peut-être les aider dans leurs recherches. Elle sortit et laissa la porte entrouverte. Devant la perspective de monter toutes ces marches, elle se sentit tout à coup très fatiguée. Bien qu'elle n'aimât pas utiliser ce mécanisme, elle appuya sur le bouton pour faire descendre la chaise-ascenseur. Aucun bruit, aucun mouvement. Elle appuya de nouveau. Rien. Mathilde se dit que la chaise devait être hors d'usage. Elle entreprit de monter à pied. À chacune des marches qu'elle empruntait, elle se maudissait d'avoir été si négligente. Comment avait-elle pu laisser Poppy toute seule, alors qu'elle batifolait dans la boutique du luthier ? Presque arrivée, Mathilde s'arrêta, à bout de souffle. C'est alors qu'elle la vit.

— Poppy ?

Quelques marches plus haut, bien assise dans la chaise-ascenseur qui avait dû se bloquer, Paméla sommeillait.

Mathilde monta à sa rencontre, appuya doucement sur son épaule pour ne pas l'effrayer. Poppy se réveilla aussitôt.

— Jennifer ? dit-elle à l'intention de Mathilde.

— C'est moi. C'est Mathilde, Poppy. On te cherchait partout.

Puis elle se réveilla tout à fait.

— Ça fait des heures que je crie, que j'attends que quelqu'un vienne me libérer de cette maudite chaise !

Mathilde appela Anne à l'aide. Comme la réponse ne venait pas, elle essaya le mécanisme de la chaise. Rien ne bougeait. Elle demanda à Paméla d'être patiente encore un peu. Elle redescendit toutes les marches, au pas de course cette fois-ci, et rejoignit l'appartement. Elle hurla dans l'embrasure qu'elle avait trouvé Poppy, mais qu'elle avait besoin d'aide. Anne vint à sa rencontre. Elles gravirent les marches en soufflant et en riant. Décidément, rien à Venise ne se laissait atteindre facilement ! Mais une fois qu'on y était, quel bonheur !

35

Paméla s'était enfin endormie. Tandis qu'Anne avait improvisé un petit repas et mis le couvert, Mathilde avait aidé Poppy à prendre un bain, pour la réchauffer et lui permettre de se remettre de ses émotions. Cette dernière avait raconté qu'elle s'était éveillée de sa sieste et, ne trouvant personne à l'appartement, avait tout simplement décidé d'aller se balader seule. Elle avait longtemps marché aux alentours du théâtre de La Fenice. À ce propos, elle avait vu qu'on donnait encore pour quelques jours *La Traviata*, et elle avait acheté trois billets pour une représentation de matinée. Elle était tout excitée de cette découverte. Il était rare de trouver des places, et elle en avait déniché trois. « Pas les meilleurs sièges », s'était-elle excusée. C'était assez haut perché dans le théâtre, mais malgré cela, elles auraient vue sur la scène, contrairement à certaines places moins chères, mais sans vue aucune.

Paméla avait erré dans les rues, puis elle n'avait plus trouvé son chemin du tout. Comme elle ne voyait aucun repère familier, elle s'était mise à paniquer.

— Je connais Venise par cœur. Comment ç'a pu m'arriver ? Je n'avais plus la moindre idée d'où je me trouvais. Complètement perdue. Je ne reconnaissais rien autour de moi. C'est fou ! avait-elle dit à Mathilde en riant, malgré ses yeux tristes.

Puis, tout à coup, les choses s'étaient remises en place. Elle avait repris pied. « Un moment d'égarement », avait-elle minimisé, comme si c'était sans importance. Elle avait rejoint l'appartement sans difficulté et avait eu l'idée de monter chez Massimiliano, sans savoir qu'il était absent. Lorsque la chaise-ascenseur s'était arrêtée en pleine ascension, elle avait d'abord trouvé la chose amusante. « Une autre expérience ! » avait-elle déclaré à Anne et Mathilde lorsqu'elle s'était attablée pour prendre une bouchée avant d'aller dormir. Mais la panne avait duré, et elle avait eu beau appeler à l'aide, personne ne semblait l'entendre. Elle était effrayée de se retrouver ainsi, les pieds dans le vide, incapable de toucher à une marche pour s'extirper de là.

— J'imaginais déjà les titres des journaux annonçant qu'une vieille dame, prisonnière d'une chaise-ascenseur, était morte gelée, ou des suites d'une crise cardiaque !

La panique s'était à nouveau emparée d'elle. Puis elle s'était calmée et, finalement, s'était assoupie.

— Ridicule, ne cessait-elle de répéter. C'était complètement ridicule. Une vieille femme emprisonnée dans une chaise-ascenseur, pendue dans le vide ! J'ai cru que je ne m'en sortirais pas.

Elle avait mangé avec appétit le petit repas improvisé, puis était allée se coucher. Mathilde avait insisté pour l'accompagner jusqu'à son lit. Juste avant de s'endormir, elle avait remercié «Jennifer» d'avoir été là tout ce temps. Mathilde continuait à lui rappeler qui elle était, mais Poppy, presque assoupie, s'entêtait à la prendre pour sa sœur décédée. Lorsqu'elle constata que Paméla dormait, Mathilde sortit de la chambre passablement perturbée. Anne venait à peine de lui servir une assiette lorsqu'elle entra dans la cuisine pour rejoindre son amie.

— Je n'ai pas tellement faim.

— Je sais, moi non plus, mais il faut quand même avaler quelque chose. Comment elle va? Elle n'est pas trop ébranlée?

— Non. Tu l'as entendue. Elle prend ça à la légère, comme une autre aventure palpitante, même si elle a cru sa dernière heure arrivée. Elle est incroyable, cette femme! Il n'y a pas grand-chose pour la démoraliser.

Mathilde fit une longue pause avant d'enchaîner.

— C'est tout le reste qui m'inquiète. Ça fait deux fois qu'elle me prend pour sa sœur Jennifer.

— Oups...

— Oui, je... j'espère que ce n'est pas ce que je crois...

— Tu penses qu'elle a rencontré le bel Allemand?

— Hein? Qui ça?

— Oui ! Tu sais bien, le bel Allemand qui nous fait toutes perdre la tête : Al Zheimer !

Mathilde était trop préoccupée par la situation de Poppy pour vraiment apprécier la blague. Elle sourit simplement à l'humour parfois caustique de son amie.

— J'espère que ce n'est pas ça qui l'attend ! confia Mathilde. Surtout pas elle ! Une femme si brillante, avec son intelligence supérieure, toutes ses connaissances, sa vivacité… Pas elle !

— Arrête de t'en faire, Mathilde. Ce n'est sûrement pas ça ! Si c'était le cas, on s'en serait aperçues ou elle nous aurait mises au courant. Voyons ! Elle n'a rien d'une femme qui perd la boule ! Bien au contraire. J'ai tout le temps l'impression d'être en compagnie d'une sommité universitaire. Elle a été troublée un peu de s'être perdue. Elle ne serait pas la première. On n'arrête pas de se perdre dans Venise. C'est un labyrinthe, cette ville, même si on croit la connaître. Tu aurais dû me voir cet après-midi. Plus perdue que ça, tu te jettes à l'eau ! On est tout le temps perdues ici et on n'est pas atteintes d'Alzheimer pour autant. Je perds toujours mes clés, je cherche mes mots et je n'arrête pas de perdre ma prothèse. Elle glisse toute seule du soutien-gorge et je mets un temps fou à la trouver.

Malgré l'énervement des dernières heures, Mathilde se joignit à Anne pour rire un bon coup. Combien de fois depuis l'arrivée de celle-ci étaient-elles parties à la recherche de la prothèse perdue !

Puis elle sembla se perdre dans ses pensées.

— J'aurais dû me rendre compte que Poppy en perdait des bouts. Elle ne sait jamais quel jour on est, elle m'a souvent fait répéter des choses que je venais de lui dire… À certains moments elle semblait tellement loin, comme s'il n'y avait personne derrière ses yeux. Moi, j'ai mis ça sur le compte de la fatigue.

— Fitz, ça n'a peut-être rien à voir avec la maladie ! On oublie souvent, on est distrait… Puis la maudite « chaise-ascenseur » ! s'écria Anne, irritée. C'est loin d'être évident, cette patente-là. Même moi, ça me fait peur. Et je ne t'ai pas vue l'utiliser souvent ! J'aime encore mieux grimper toutes les marches, même si mes genoux crient « à l'aide ! ».

— Tu as peut-être raison, murmura Mathilde. Mais je ne la lâche plus d'une semelle.

— Je vais t'aider. À deux, on pourra mieux l'encadrer et elle ne se rendra pas compte qu'on la surveille.

Anne ouvrit une bouteille de vin pour fêter la matinée *Traviata* qui les attendait, grâce à Poppy. Les filles trinquèrent. Anne n'avait jamais vu d'opéra de sa vie. Pour sa part, Mathilde se faisait une joie de visiter le théâtre de La Fenice. Et puis, *La Traviata* de Verdi ! Cette merveilleuse histoire d'amour, même si elle finissait mal, lui ferait le plus grand bien. Elle eut une pensée pour le petit monsieur, ses tasses de café, ses caresses, ses yeux doux.

Au gré des verres de vin, les deux femmes discutèrent du voyage qui s'achevait. Quelques jours encore et c'en serait fini de ce rêve magnifique. Elles évoquèrent des moments inoubliables, quelques fous rires. Lorsqu'elles s'étaient arrêtées dans la boutique Sole Se et qu'elles avaient toutes trois acheté des souliers faits main par une créatrice vénitienne, tellement doux à l'intérieur et si confortables ; des bleus, des grèges et des noirs. Elles avaient dû se retenir l'une l'autre pour ne pas tout acheter dans le magasin. Mathilde y avait tout de même fait l'achat d'une très belle écharpe en cachemire pour sa sœur. La découverte du minuscule restaurant sur la *fondamenta* della Toletta : Ai Artisti. Comme il fallait réserver puisque l'endroit ne comptait que dix-sept places, Poppy avait obligé Mathilde à faire la réservation en italien ! Elles avaient beaucoup ri. Ce soir-là, trois tables les attendaient… Mathilde avait pu discuter en fin de repas avec le jeune chef. C'est lui qui lui avait recommandé le marché du Rialto. Il y avait eu également ce superbe cinq à sept au Ai Gondolieri, sur la *fondamenta* Ospedaletto, après la visite de la Fondation Pinault, à la Dogana.

Venise leur avait apporté tellement plus que des attractions touristiques. Anne et Mathilde l'avouaient volontiers, la Sérénissime les avait changées. Anne repartirait plus confiante, plus solide.

— C'est fou comme le dessin m'a ramenée à la vie. Juste ça, un petit bout de crayon dans ma main, le glisser sur le papier et laisser marcher mes yeux devant moi, ç'a fait toute la différence. Ç'a tout changé. Comment il chantait, Charlebois, déjà? «Je suis un Hells Angel à pied, je roule à bille sur du papier…» Moi, maintenant, je roule à mine.

Elle continua dans ses confidences.

— À l'annonce du cancer, j'ai perdu plus qu'un sein, avoua-t-elle à son amie d'enfance. J'ai perdu des plumes à mon panache. Tu me connais! Avant, j'avais tout le temps confiance en moi, je fonçais et je me posais des questions après. Il n'y avait rien à mon épreuve. Avant. Après, je me suis sentie hyper fragile. Ce n'est pas tout à fait mon genre. Et puis, je n'ai jamais pensé que je pourrais avoir un cancer du sein. Des seins, j'en ai jamais eu.

Timidement d'abord, puis avec aplomb, Mathilde se mit à fredonner un air que son amie reconnut aussitôt. Lorsqu'elles étaient adolescentes, ses camarades de classe avaient l'habitude de chanter à l'intention d'Anne, qui n'était pas très «pourvue» côté poitrine, une chanson populaire à l'époque et interprétée par Silvana Mangano, en changeant les paroles. Au lieu de dédier leur hymne à une certaine Anna, comme dans la chanson, les filles utilisaient le prénom d'Anne.

— *Anne, a'n'a, a'n'a pas! A'n'a d'jà eu, a'n'a plus. Pis même qu'a n'a, en pyjama, ça para'pas!*

Anne se joignit à Mathilde pour chanter ce souvenir à voix basse, afin de ne pas réveiller Paméla. Puis elles pouffèrent.

Anne raconta que, depuis l'ablation, elle doutait plus facilement.

— J'hésite, je me remets tout le temps en question, j'ai l'impression de ne jamais prendre les bonnes décisions, de ne pas poser les bons gestes.

Mathilde regarda son amie, qui portait ce soir-là son nouveau bonnet rayé, qui lui allait à ravir. Elle la prit dans ses bras. Anne se laissa un peu aller.

— En tout cas, tu as pris la bonne décision en venant me rejoindre à Venise. Ce voyage t'a fait du bien ! lui dit Mathilde. Tu es lumineuse, ma belle Angel à pied, qui roule à mine sur du papier… vénitien !

— Toi aussi, Venise t'a transformée. Tu as retrouvé une joie que tu n'avais plus. Tu es moins inquiète pour tout le monde, tu prends du temps pour toi… C'est comme si tu t'étais choisie.

Coquine, elle lui demanda si elle prenait toujours des cafés en agréable compagnie. Mathilde baissa les yeux, comme si elle avait été prise en défaut. Puis elle raconta son après-midi avec le luthier au regard énigmatique et aux mains rudes.

— Est-ce qu'il est vraiment muet ?

Mathilde lui dit que non.

— Il ne doit pas aimer beaucoup parler. Il résonne en silence.

Afin de ne pas brusquer Mathilde, Anne l'interrogea tout doucement pour savoir si elle allait le revoir.

— Je ne crois pas. Mais c'est bien comme ça. Je n'en demande pas plus. C'était un moment unique. Un intermède musical, ajouta-t-elle dans un sourire amusé.

Elles se turent et restèrent ainsi tandis que la nuit s'installait tout à fait.

36

Au réveil, Paméla était fraîche comme une rose.
Les événements de la veille semblaient loin derrière elle. Il en était tout autrement de Mathilde
et d'Anne qui se levèrent, toutes deux, avec un
méchant mal de crâne. Elles réalisèrent qu'elles
avaient ouvert non pas une, mais bien trois bouteilles de vin. Le démarrage fut plus lent qu'à l'accoutumée, mais elles s'entendirent rapidement
sur le programme de la journée. Poppy avait
entendu parler d'une librairie tout à fait particulière qu'elle ne connaissait pas, et Anne voulait
leur présenter un artiste qu'elle avait rencontré
piazza San Marco, qui faisait un travail exceptionnel et avec qui elle avait discuté quelques jours
auparavant. Et puis, il était plus que temps d'aller
à la recherche des costumes pour le bal masqué.

Il faisait un temps splendide. Le ciel était
sans tracas. Cette journée-là, chacune à sa façon
essaya de retenir des parcelles de cette ville qui les
enchantait encore et encore, même après toutes
ces semaines. Mathilde semblait, à chaque respiration, faire le plein des instants de beauté qui

lui étaient offerts. Anne faisait la collection des couleurs changeantes sur les murs décrépis, de la lumière qui transformait les choses, des frissons sur l'eau où se reflétaient les *palazzi*, dont la forme se modifiait au fil de l'onde. Les yeux de Poppy donnaient l'impression d'attraper au vol des repères, des miettes d'information.

Elle les entraîna une fois de plus, rompant les rangs dans les avenues à touristes pour fournir à ses amies le petit détail ou l'anecdote qui avait son importance si on voulait connaître la Venise qui n'appartient qu'aux Vénitiens. Au pont San Canzian dans Cannaregio, elles trouvèrent un porte-bonheur insolite qui attirait de nombreux passants superstitieux. Ceux-ci ne manquaient pas de faire tinter d'anciens crochets de fer fixés au mur afin de mettre la chance de leur côté. L'origine de ces crochets n'avait pourtant rien d'heureux, leur apprit Poppy. Jadis, on attachait les membres des prisonniers torturés et morts écartelés à ces crochets disposés aux quatre coins de Venise, pour qu'ils servent de mise en garde.

Elles profitèrent de cette journée pour effectuer leurs derniers achats. Comme elles n'étaient pas trop loin de chez Gianni Basso, Mathilde eut envie d'aller faire ses adieux à l'imprimeur. Elle était retournée à quelques reprises dans sa boutique pour s'envelopper de cette odeur d'encre si particulière, qui faisait tant rager sa mère, mais qui lui rappelait la passion de son papa ; elle adorait discuter avec Gianni Basso de son art. Il prenait chaque fois le temps d'ouvrir ses tiroirs à trésors pour lui faire découvrir ses merveilles. Comme il était l'heure de dîner, elle suggéra à Anne de s'attabler avec Poppy à une terrasse et de commander, le temps qu'elle fasse un saut rue del Fumo. La rencontre avec l'homme fut, comme toujours, très agréable. Elle promit de lui écrire sur le beau papier qu'elle acheta.

Lorsque Mathilde revint, Anne remarqua que sa visite avait été de courte durée.

— Il allait fermer pour le lunch.

Mathilde s'installa avec ses amies pour déguster, une fois de plus, des plats délicieux. Sa gourmandise et son goût pour les bonnes choses n'avaient fait que croître. Une autre habitude qu'elle rapporterait dans ses bagages.

Puis ce fut au tour d'Anne de visiter une fois de plus la boutique La Beppa dans Castello ; elle avait envie de faire le plein de carnets neufs, de mines, de graphites. Elles partirent ensuite en direction de la librairie Acqua Alta. Poppy savait peu de chose de ce lieu, mais Massimiliano ne lui en avait dit que du bien.

Ce fut, pour les trois femmes, une des visites les plus étonnantes du voyage. Cette librairie, la plus improbable au monde, est totalement atypique. Son propriétaire, Luigi Frizzo, est un Vénitien truculent, rigolo et inventif. Malgré ses apparences loufoques, le lieu regorge de livres du plancher au plafond. Mieux encore, les ouvrages qu'on y trouve sont, pour la plupart, logés non pas sur des tablettes, mais déposés pêle-mêle dans des baignoires, des barques et même dans une véritable gondole qui prend tout l'espace central. Comme cette librairie donnant directement sur un canal n'est pas épargnée par les hautes eaux, d'où son nom *Acqua Alta*, les livres ainsi entassés dans des embarcations de fortune sont protégés de l'eau envahissante. Des chats de toutes les grosseurs et de toutes les couleurs s'y vautrent, dorment entassés les uns sur les autres ou font les yeux doux aux acheteurs de passage. Les rayons sont plus organisés qu'ils n'en ont l'air au premier abord. Et Luigi Frizzo se fait un plaisir de répondre à toutes les questions. Il parle de nombreuses langues et connaît sa librairie comme le fond de sa poche.

Il dit même à Poppy et à Mathilde, qui lui demandaient où il avait appris à parler si bien le français, que toutes les langues qu'il pratiquait lui venaient de la fréquentation de femmes de plusieurs pays. Paméla fit alors sa coquette et étala son savoir en montrant à M. Frizzo qu'elle en connaissait, elle aussi, plus d'une. Comme tous les gens que Poppy approchait, il était sous le charme.

— Méfiez-vous, il y a encore beaucoup de Casanova à Venise ! dit-il dans un éclat de rire.

Il les invita à visiter la terrasse arrière, qui elle non plus, n'avait rien de banal. En effet, il y a deux accès possibles pour arriver à la librairie Acqua Alta. Par le Corte del Tintor, une petite place donnant sur la *calle* Longa Maria Formosa où la librairie a son entrée côté rue, et par l'eau. Toute personne qui possède sa barque peut accoster sur le *rio* et pénétrer directement dans la librairie. À cet endroit d'ailleurs, il y a un fauteuil pour s'installer et lire, ainsi qu'une pancarte qui annonce que l'exercice est gratuit. La terrasse, elle, offre une vue sur le canal, mais pour y parvenir, encore là, une originalité : le propriétaire a eu l'idée de construire un escalier dont les marches sont des gros livres entassés les uns sur les autres et recouverts de tapis défraîchis. Cette caverne d'Ali Baba sut contenter l'appétit dévorant de Mathilde pour les livres de cuisine, la passion pour les livres d'histoire et de mythes sur Venise de Poppy, et tous les livres d'art intéressèrent Anne. Elles passèrent plusieurs heures à fureter dans ce capharnaüm, à discuter et à caresser les chats qui s'y trouvaient.

Avant de se rendre chez le marchand de costumes, elles firent un saut à l'Erbolario Segreti di Bellezza, sorte de parfumerie qui promettait d'y trouver tous les secrets de beauté. Le mélange d'odeurs suaves et fraîches les avait attirées à l'intérieur. Elles sentirent quelques parfums fabuleux, des huiles pour le bain, des pommades de toutes sortes. Elles arrêtèrent leur choix sur un produit miracle censé retendre les tissus du visage de façon exceptionnelle.

— Un *lifting* sans chirurgie, leur assura le vendeur. Cet élixir de beauté rajeunit le visage et le cou d'au moins cinq ans. C'est garanti.

— Parfait, dit Poppy. On va en prendre deux. Comme ça, ça nous fera dix ans de moins chacune.

Cette séance de courses se termina dans la joie la plus folle. Il en fut de même lorsqu'elles entrèrent dans la boutique de costumes. Elles voulaient essayer tous les masques, les accessoires, les chapeaux. Elles eurent deux surprises de taille. L'une était que tout Venise semblait être invité au même bal masqué dont le thème était Casanova, puisque la plupart des costumes dorés à jabot, représentation classique du Don Juan célèbre, avaient déjà été loués.

— La *bauta*, c'est ce qu'il vous faut, déclara la vendeuse. Ça convient parfaitement au thème de la soirée.

Ce costume était constitué d'une longue cape et d'un tricorne noirs. Le masque se déclinait en blanc, en noir ou en doré; il était de forme quadrangulaire et la partie qui recouvrait le bas du visage pointait nettement vers l'avant, ce qui offrait assez d'espace pour boire et manger. Poppy leur apprit que cette déformation dans le masque modifiait également la voix et augmentait l'anonymat de celui qui le portait, ce qui fit bien rire Mathilde et Anne.

— Personne ne nous connaît, Poppy !

— Nous serons encore plus entourées de mystère, dit-elle. Ça pourra servir si jamais quelqu'un a l'idée de m'enlever.

— Oh non ! s'écrièrent à l'unisson Anne et Mathilde. Tu ne vas pas encore disparaître !

Poppy décida d'oublier les enlèvements pour le moment, mais était ravie de constater que ses amies tenaient à elle.

La seconde surprise qui les attendait leur fut donnée au moment où elles s'apprêtaient à payer leur location : monsieur le comte avait déjà tout réglé. Mathilde et Anne se regardèrent. Mis au courant de l'incident de la chaise-ascenseur, Massimiliano avait sûrement voulu réparer la frayeur causée à Paméla.

Elles firent un dernier petit saut du côté de San Marco avant de regagner l'appartement. Anne les mena auprès d'un artiste peintre, graveur également, Ugo Baracco. L'homme était présent à son kiosque et reconnut Anne pour avoir discuté avec elle à quelques reprises. On trouvait dans ses toiles, en plus de la superbe finesse des traits et de la précision des sujets, des couleurs chaudes, à nulle autre pareille. Cet artiste, qui avait exposé dans de nombreuses villes dans le monde, avait su capter toute la beauté de la Sérénissime au fil des ans. Les trois femmes purent constater à quel point son travail ne ressemblait en rien à celui des autres marchands ambulants qui proposaient un regard similaire sur Venise. Après un moment d'hésitation – son portefeuille commençait à s'alléger –, Mathilde s'offrit une gravure qui lui rappellerait ce séjour inoubliable et, pour qu'elles ne soient pas en reste, en offrit également à ses amies.

Finalement, c'est les bras chargés de paquets qu'elles rejoignirent l'appartement. Et pas question d'emprunter la chaise-ascenseur, qui était pourtant réparée ! Elles se libérèrent de leurs sacs en les plaçant sur le siège, activèrent le mécanisme et accompagnèrent à pied la « machine infernale ». Elles arrivèrent à l'étage, épuisées, mais saines et sauves.

Aussitôt entrées, elles troquèrent leurs vêtements contre leurs pyjamas. Mathilde concocta en deux temps trois mouvements un en-cas savoureux. À voir ses amies apprécier ses plats avec tant de bonheur, elle ne pouvait que reconnaître son réel talent en la matière. Une fois rassasiées, elles se laissèrent tomber dans les fauteuils du salon, exténuées par cette journée.

Mais bientôt, Anne se leva d'un bond en proclamant qu'elle connaissait la solution idéale pour retrouver un peu d'énergie. Elle inséra dans le lecteur des CD de Dalida et d'artistes italiens, et elle tira ses amies jusqu'au milieu de la pièce. Elles dansèrent sur la musique entraînante et mise à fond, comme trois adolescentes en vacances. Et heureuses, de surcroît. Ce qu'elles étaient de plus en plus.

37

Pour l'occasion, elles s'étaient parées de leurs plus beaux atours.

— Pas trop chic, quand même, avait décrété Poppy, c'est une matinée, après tout.

Les trois femmes se faisaient une telle joie d'assister à la représentation d'un opéra qu'elles n'avaient rien négligé. Tout au long du trajet, Paméla leur avait raconté les incendies qui avaient ravagé La Fenice à deux reprises. Celui de 1836 avait complètement détruit le théâtre lyrique; ce dernier s'était relevé de ses cendres, un an plus tard, d'où son nom de *Fenice*, qui signifie «phénix». Puis l'incendie de 1996 l'avait obligé à rester fermé, à cause des travaux, jusqu'en 2004.

Sur le parvis du théâtre, les spectateurs se massaient déjà lorsque Mathilde, Anne et Paméla arrivèrent. Il régnait une atmosphère survoltée. Les gens, bien mis pour la circonstance, allaient et venaient par petits groupes, billets en main. Elles entrèrent par la porte principale et furent éblouies par le grand escalier ainsi que son luminaire couronné et orné de pampilles. Un placier les renvoya aussitôt vers l'entrée principale, leur demandant d'emprunter la porte de côté qui menait aux loges. Anne et Mathilde étaient un peu déçues de ne pas emprunter le grand escalier, mais comptaient bien se reprendre à la sortie. Elles comprirent rapidement que ces billets moins chers les plaçaient au tout dernier étage. Mais qu'à cela ne tienne, elles étaient dans l'une des plus célèbres maisons d'opéra du monde !

En ouvrant la porte de la loge, elles furent enchantées par la majesté du théâtre, avec sa scène à l'italienne encastrée et ses cinq étages de loges décorées finement de dorures et de peintures d'angelots. Les fauteuils et les draperies étaient de couleur grenat. Dans la partie centrale et faisant face à la scène, on découvrait une gigantesque loge pour les hauts dignitaires et les gens très fortunés. Au parterre se trouvaient des fauteuils rouges alignés en rangées serrées. Comme le leur avait mentionné Poppy, à une autre époque, les gens se tenaient debout dans cette partie du théâtre.

Il y avait dans leur loge quatre fauteuils et des crochets au mur pour déposer leurs manteaux. Elles prirent place et observèrent tout ce beau monde qui s'installait. Poppy les incita à imaginer comment les choses se passaient dans ces lieux, au siècle dernier, alors que le Tout-Venise – qui se voulait la capitale des plaisirs de la chair, des intrigues et des jeux d'argent – se réunissait pour applaudir musiciens et divas, ou les huer vertement.

Puis les lumières s'éteignirent et la magie commença. La musique de Verdi envahit tout l'espace avant que le rideau se lève. Mathilde avait le cœur qui battait la chamade. Bien appuyée sur la barre de laiton, tout comme Anne – Poppy se tenait légèrement vers l'arrière, puisqu'elle avait vu cet opéra plus d'une fois et préférait laisser le devant de la loge à ses amies –, elle s'apprêtait à goûter, avec des yeux émerveillés, la triste histoire de Violetta, qui se sacrifia par amour. La musique pénétrait en elle, les voix se faisaient un chemin jusqu'à son âme. Elle était émue aux larmes. Le livret de Francesco Maria Piave, d'après le drame *La Dame aux camélias* d'Alexandre Dumas fils, la touchait tout particulièrement. Le sacrifice, elle connaissait. Les tableaux se succédaient dans cette version jugée trop moderne par Poppy. Le choix du metteur en scène de situer l'action de nos jours la laissa un peu sur sa faim. Mais les airs célèbres et l'interprétation de Violetta ravirent Mathilde et Anne, même si elles s'attendaient, elles aussi, à assister à un spectacle avec costumes et décors d'époque.

Elles profitèrent de l'entracte pour visiter le théâtre, puis, dès le rideau tombé, elles empruntèrent le grand escalier vers la sortie, malgré les vigiles qui les guidaient dans la direction opposée.

Elles se rendirent ensuite, pour une dernière fois, au *caffè* Florian. Poppy se réjouissait de voir ses deux amies assister à la *passeggiata*, cette promenade à l'heure de l'apéro que tout le monde fait pour voir et être vu. Le Florian était l'endroit idéal, et les spritz furent, une fois de plus, de la fête.

Comme à son habitude, Paméla, qui n'avait rien perdu de sa verve, raconta à Anne et à Mathilde des anecdotes sur la *piazza* San Marco. Dans les jours précédents, elle avait prévenu ses amies de profiter de son savoir qui ne durerait peut-être pas toujours. « Je suis comme un vieux sage africain. Lorsque je vais mourir, c'est une bibliothèque entière qui va brûler, et tout ça va être perdu ! » Anne et Mathilde appréciaient d'autant plus ses propos et son érudition. Il était question tantôt d'architecture, tantôt d'histoire.

— Saviez-vous que cette place a été si bien pensée que même les lignes du sol ont été conçues pour diriger le regard vers la basilique ?

Poppy expliqua aussi qu'à l'époque le doge de Venise montait à bord du *Bucentaure,* sa gondole d'apparat richement décorée, et qu'on célébrait, le jour de l'Ascension, le mariage du doge avec la mer. À mi-chemin de San Marco et du Lido, où il se rendait pour entendre la messe, là où la lagune de Venise communique avec la mer, il laissait tomber dans l'Adriatique un anneau d'or.

Anne et Mathilde étaient, une fois de plus, subjuguées par la manière dont Poppy racontait.

— C'est une prof d'histoire comme elle qu'on aurait dû avoir au collège, dit Anne à Mathilde, au lieu du soporifique M. Lantagne.

Cette dernière embrassa tendrement sa nouvelle amie qui leur avait procuré, tout au long de ce voyage formidable, ce surplus de vie, ce supplément d'âme qu'on ne trouve dans aucun guide papier. Elle leva son verre et demanda à Poppy et à Anne de trinquer avec elle, sur cette place mythique.

— Buvons à la seconde supplémentaire qui s'offrira à nous et au monde entier, l'an prochain !

Ses amies la regardèrent, intriguées, et voulurent en savoir davantage sur cette seconde supplémentaire dont parlait Mathilde. Celle-ci les mit au parfum. Un de ses neveux, particulièrement féru de sciences, lui avait expliqué avant son départ que, en 2015, il y aurait une seconde intercalaire ajoutée aux vingt-quatre heures, par convention.

— Si je me souviens bien de ce que Grégoire m'a dit, cette seconde sera ajoutée le 30 juin, à vingt-trois heures cinquante-neuf, pour combler le décalage, parce qu'il paraît que notre planète ne met pas exactement trois cent soixante-cinq jours à faire son tour du soleil... Euh... quelque chose dans le genre.

Il l'avait un peu perdue lorsqu'il lui avait expliqué que le temps conventionnel n'était pas identique au temps universel et qu'on utilisait comme référence plus fiable pour le calculer l'horloge atomique créée dans les années 1950, d'une précision un million de fois plus grande. Comme son neveu le lui avait dit, du haut de sa superbe, en véritable adolescent: « Je suis sûr que tu n'as pas tout compris, mais l'important, tante

Mathilde, c'est que tu auras une seconde de plus dans ton année.»

Et cette seconde, Mathilde avait décidé de la déguster, même si on n'était pas encore en juin. Une seconde d'éternité, ça se savoure bien, en agréable compagnie, sur la *piazza* San Marco de Venise, même en novembre!

38

Paméla, Anne et Mathilde n'eurent pas trop de difficulté à trouver le *palazzo*. Sur leur passage, les gens se retournaient, amusés de voir des individus masqués et costumés, alors que le Carnaval de Venise n'avait lieu qu'en février. Elles arrivèrent au *campo* San Barnaba, empruntèrent le *ponte* dei Pugni, où se trouvait la barque de fruits et de légumes souvent fréquentée par Mathilde, et se rendirent aux abords du *campo* Santa Margherita, où étaient réunis des étudiants pour l'heure de l'apéro. Elles furent toutes trois chaudement applaudies. Anne et Mathilde évoquèrent leur jeunesse, les soirs d'Halloween où, déguisées en chaton, en sorcière, en princesse, elles allaient par les rues à la recherche de bonbons. Elles tournèrent à gauche derrière le *campo* dei Carmini. Plusieurs personnes affublées de déguisements s'agglutinaient sur la *fondamenta* del Soccorso, où se dressait le *palazzo* Zenobio, leur destination. Ce très bel édifice, de style baroque, a appartenu à la famille Zenobio durant de nombreuses années, puis il a été acheté, au XIXe siècle, par la communauté arménienne, déjà implantée à Venise.

— Ces derniers possédaient également une école sur l'île de San Lazzaro où ils enseignaient les langues aux jeunes Arméniens, précisa Poppy, qui avait une voix étrange derrière son masque. Lord Byron a longuement fréquenté les moines mekhitaristes pour apprendre leur langue. Il était passionné au point d'écrire des grammaires et des dictionnaires anglais-arménien. Son engagement auprès des Arméniens a contribué largement à faire connaître leur culture en Europe.

Une dame habillée en courtisane ajouta son grain de sel aux propos de Poppy, et celle-ci s'empressa de traduire à l'intention de ses amies.

— Aujourd'hui, cet édifice est l'hôte de la Biennale d'art contemporain, certains bals durant le Carnaval y sont donnés, et on peut également y célébrer un mariage.

Lorsqu'elles entrèrent dans le *palazzo*, une fébrilité particulière habitait l'espace. Le lieu lui-même, d'abord, les subjugua. Les pièces se succédaient, toutes aussi splendides les unes que les autres, ornées de stucs et de dorures, décorées par des fresques, des peintures, des trompe-l'œil représentant des scènes de la mythologie et des histoires de la reine Zénobie d'Orient. D'immenses lustres étincelants sous leurs pampilles jetaient un éclairage chaud et réconfortant. Des candélabres placés sur les tables ajoutaient au faste. Puis les femmes pénétrèrent dans la *sala degli specchi*, la salle des miroirs, l'imposante salle de bal. Une myriade de lumières, d'ors, de draperies rouge sang se mélangeait aux capes noires, aux jabots blancs, aux tricornes, au doré et à l'ocre des costumes d'apparat. Le bal battait son plein. Un orchestre, formé de musiciens tous vêtus de costumes représentant Giacomo Casanova, se tenait sur une tribune en forme de balcon. D'immenses tables regorgeaient de nourriture. Des montagnes de fruits de mer, de fromages, de fruits de toutes sortes garnissaient le buffet. Les coupes de champagne circulaient sur des plateaux d'argent, les rires éclataient de partout, des cris de joie fusaient; derrière les masques, les yeux brillaient de malice.

Puis Mathilde, qui ouvrait en quelque sorte la marche à ses deux amies, paniqua l'espace d'un instant. Elle avait l'impression d'être en proie à une terrible hallucination. Elle ne bougeait plus, refusait d'avancer plus loin, même si elle se sentait poussée par ceux qui voulaient entrer. Elle venait de réaliser que la salle était remplie de personnages pareils aux leurs. Et si elle perdait Poppy, dans cette mer de capes noires et de masques blancs en tous points identiques? Anne fit le même constat et comprit aussitôt la crainte de son amie. D'un commun accord, elles décidèrent d'encadrer Poppy de peur de la perdre dans cette foule de sosies. Elles ne la quittèrent pas d'une semelle tout au long de la soirée. Ce qui ne les empêcha pas de manger à leur faim, de boire tout leur soûl, de danser comme des exaltées.

Plus la soirée avançait, plus des scènes cocasses avaient lieu. Des couples se formaient. Certains se cachaient sous les tentures pour s'adonner à des jeux coquins. Deux Casanova s'embrassaient à pleine bouche. Des costumes qui avaient semblé, en début de soirée, tout à fait conventionnels et convenables attiraient maintenant le regard du trio sur de petits détails qui ne mentaient pas. Les fesses de certains hommes émergeaient d'une culotte de soie, quelques femmes exhibaient leurs seins nus sous la dentelle de leurs corsets… Puis, elles reconnurent le comte. Il était vêtu d'une chemise à jabot et d'une veste dorée, mais il arborait, à la place du pantalon traditionnel, un simple porte-jarretelles qui retenait des bas résille, et il était chaussé de mules en marabout. Dans un grand éclat de rire, Poppy ne put s'empêcher d'admirer son extravagance. Elle annonça à ses amies qu'elle aussi allait enlever un morceau de son costume. Anne et Mathilde eurent un moment d'affolement, mais furent soulagées lorsqu'elle leur tendit son masque et son tricorne, décrétant qu'elle avait trop chaud. Le comte la reconnut et l'invita à danser.

Mathilde baissa sa garde. Elle pourrait désormais facilement la repérer. Anne en profita pour aller au petit coin. Assise dans un fauteuil, Mathilde songea qu'elle assistait à une soirée qui devait ressembler à celles qui avaient eu lieu dans les siècles de décadence où presque tout était permis à Venise et où, cachés sous un masque, les invités s'adonnaient à un libertinage effréné qui était à nouveau de mise ce soir. Elle regardait en souriant Poppy évoluer sur la piste de danse avec Massimiliano. Cette femme n'avait pas d'âge !

Anne revint dans la salle aux miroirs. Elle aussi s'était libérée de son masque. Mathilde décida d'en faire autant ; il faisait terriblement chaud sous cette *bauta*. Elle observa un instant son amie, qui semblait scruter le plancher, les tables ; elle regardait sous les chaises à la recherche de quelque chose. Mathilde la rejoignit. Anne lui avoua discrètement qu'elle avait de nouveau perdu sa prothèse. Elles pouffèrent à l'unisson.

— J'aurais dû la fixer plus solidement, mais je n'avais pas envie de porter un soutien-gorge.

Paméla arriva au même instant, les suppliant de la ramener à la maison. Mathilde, croyant qu'elle avait été témoin d'une scène particulièrement salace, lui avoua qu'elle aussi était dérangée par cette débauche et que ce genre de fête n'était plus vraiment de leur âge. Poppy balaya du revers de la main les propos de Mathilde.

— Ça ? Pas du tout. J'en ai vu d'autres. Ce n'est pas ce qui me dérange.

Elle se pencha à l'oreille de Mathilde.

— Il est temps que je change ma… ma culotte d'aisance. J'ai trop ri et je me suis échappée.

Puis elle se rappela qu'elle en avait glissé une dans la poche de sa cape. Mathilde l'accompagna aux toilettes. Lorsqu'elles revinrent, Anne était toujours plongée dans la recherche de la prothèse perdue. Une bonne partie des convives avaient quitté la fête, les tables étaient maintenant jonchées d'assiettes sales, de verres renversés, et les Casanova qui restaient se rapprochaient de plus en plus dans des étreintes passionnées. Il était temps de quitter les lieux en catimini. Mathilde et Paméla allèrent à la rencontre d'Anne.

— Qu'est-ce que vous diriez si on s'en allait ? demanda cette dernière avec insistance. Il y a un énergumène qui ne me quitte plus d'une semelle. Et j'ai peur d'avoir compris ce qu'il me veut !

Effectivement, une ombre noire masquée se tenait en appui sur un mur et semblait les observer. Anne était prête à abandonner son Jo.

— C'est peut-être un signe qu'il doit rester à Venise. À défaut d'y laisser mon cœur…

Elles partirent donc. La nuit était tombée et les rues étaient assez sombres. Venise dormait. Tout en marchant en direction du pont de l'Académie, Poppy, qui avait déjà vécu un Carnaval, leur raconta qu'il en était autrement durant cette période de festivités. Personne ne dormait durant plusieurs jours. Tout en écoutant le récit de son amie, Mathilde jetait des coups d'œil furtifs vers l'arrière. L'ombre les suivait. Fallait-il s'en inquiéter ou plutôt se réjouir qu'Anne ait fait mouche auprès d'un Casanova ?

Juste avant le pont, Poppy suggéra qu'elles fassent le long parcours du canal à bord du *vaporetto*. Elle consulta sa montre et décréta qu'elles auraient largement le temps de rentrer à bord du dernier bateau.

— Après tout, c'est notre ultime balade sur le Grand Canal, et de nuit on ne l'a pas encore fait. C'est fabuleux !

Les filles étaient partantes, mais aucune d'elles n'avait son laissez-passer sur elle. Paméla les rassura. À cette heure, il n'y avait sûrement plus de contrôle à bord des *vaporetti*. Devant leur air scandalisé, elle s'étonna du peu de courage de ses amies.

— Vous avez des craintes de petites vieilles ! Il faut vivre dangereusement, leur dit-elle.

Quand elles pénétrèrent dans l'abri pour attendre le prochain bateau, elles y trouvèrent le Casanova qui les suivait depuis le *palazzo* Zenobio. Elles sursautèrent et laissèrent échapper un cri qui résonna dans l'abri. Il fonça aussitôt sur Anne, qui recula, effrayée. Il attrapa sa main et y déposa quelque chose avant de repartir prestement, faisant voler sa cape au passage. Elles restèrent toutes trois estomaquées avant de réaliser ce qui venait de se passer. Le personnage – il était difficile de savoir s'il s'agissait d'un homme ou d'une femme – avait déposé dans la main d'Anne non pas un billet doux, comme elles l'auraient imaginé en pareilles circonstances, mais bien… sa prothèse.

Drapées dans des capes noires dignes de Casanova, les trois femmes firent une mémorable traversée du Grand Canal, éblouissante grâce aux *palazzi* encore éclairés, enveloppés de brume, et noyée sous une pluie de fous rires continus.

39

Lorsque Anne ouvrit l'œil, elle découvrit Mathilde assise sur la banquette, à son poste d'observation habituel, un café à la main.

— Ça fait longtemps que tu es réveillée ? lui demanda-t-elle, la voix endormie.

— Au moins une heure. C'est la dernière fois que je peux voir un tel paysage de ma fenêtre. Demain, ce sera autre chose… Il fera nuit noire.

— Déjà demain ! Mais c'était bon, tout ça. Tellement bon !

— Oui, c'était même délicieux. J'en aurais pris encore.

Elles déjeunèrent en silence, chacune retirée dans son monde. Il fallait faire des lessives et se ramasser – elles s'étaient pas mal dispersées au cours du mois. Il y avait aussi les bagages à boucler, ce qui ne serait pas une mince affaire avec tout ce qu'elles rapportaient.

Mathilde mit en marche deux machines, une pour les vêtements et l'autre pour la vaisselle accumulée dans les derniers jours, s'habilla et sortit marcher un peu. Anne, qui se doutait de l'endroit où son amie avait l'intention d'aller, s'offrit pour rester à l'appartement avec Paméla, qui dormait toujours. Ce n'était pas le temps de la perdre, à la veille du départ !

Mathilde frissonna dans les *calli* en ce dernier petit matin à Venise. Ses yeux faisaient le plein, encore une fois, de cette cité invraisemblable, de cette île flottante unique au monde. Comme elle allait lui manquer ! La brume se levait doucement et laissait poindre un filet de soleil, promesse d'une belle journée. Comme à son habitude des dernières semaines, elle se rendit sur le *campo* Santo Stefano. Elle entra à l'église pour allumer un cierge. Même si elle n'était pas particulièrement portée sur la religion, elle voulait remercier le ciel de toutes ses largesses. Et quoi de mieux qu'une des cent quatre-vingt-trois églises de Venise pour le faire ? En cette veille de départ, elle se savait comblée. Elle avait pris une décision qui allait changer le cours de sa vie. Elle voulait, en quelque sorte, qu'un dieu ou qu'une sainte lui accorde sa bénédiction ou du moins écoute les raisons qui l'avaient poussée à emprunter cette nouvelle voie.

Lorsqu'elle franchit les portes de l'église qui la ramenèrent sur la place, un nuage d'encens l'enveloppait comme une écharpe réconfortante. Elle pressa le pas pour aller à son rendez-vous improbable. Elle croisa des regards connus, serveurs et habitués des terrasses, qu'elle salua d'un *buongiorno* bien senti. Elle avait à peine pénétré dans la petite place du conservatoire qu'une musique très douce l'accueillit. Des fenêtres grandes ouvertes de l'étage se répandait dans la cour un air de Mozart. Contre toute attente, lui aussi était là. Le luthier qui venait chaque jour à la même heure s'abreuver de musique interprétée avec les instruments qu'il créait ou qu'il réparait se tenait contre le mur, les yeux fermés. Le « petit monsieur » qui avait fait vibrer son corps endormi depuis trop longtemps lui souriait maintenant.

Lorsque le morceau se termina, Battista prit la main de Mathilde et l'entraîna à la terrasse où il avait l'habitude de commander leurs cafés. Il fit signe au garçon en levant deux doigts devant lui. Ils prirent place. L'homme ne disait rien, mais il la fixait, de ses yeux malicieux pleins de douceur. Les cafés arrivèrent. Ils dégustèrent la boisson chaude sans un mot. Mathilde se sentait bien dans ce silence. Il ne l'effrayait pas, ne l'embarrassait pas. Il n'y eut entre eux que de la musique, des cafés, des regards entendus et de la douceur, mais jamais d'attentes ni de promesses. Et ça lui suffisait. Elle n'attendait rien de plus de lui. Elle avait simplement voulu lui faire savoir qu'elle s'en allait le lendemain. Avec quelques mots qu'elle avait notés – au cas où elle le croiserait avant son départ – et une série de gestes mimant un avion, elle tenta d'expliquer qu'elle quittait Venise demain. En conclusion, elle mit sa main sur son cœur.

— *Grazie mille, signore,* lui dit-elle.

— *Molte grazie, signora,* répondit-il. *Andate a ritornare a Venezia ?*

Durant ce séjour d'un mois, Mathilde avait suffisamment entendu d'italien pour comprendre sa question. Il voulait savoir si elle allait revenir à Venise.

— Je ne sais pas, avoua-t-elle en secouant la tête et en haussant les épaules. *Non lo so!*

Il saisit sa main et l'embrassa avec ferveur. Elle caressa une dernière fois la joue de ce charmant petit monsieur, le plus joli souvenir qu'elle emportait avec elle et qui ne pèserait pas lourd dans sa valise, mais prendrait beaucoup de place dans son cœur. Puis elle se leva et partit sans se retourner, le cœur léger.

Quelques minutes plus tard, elle franchit la grille du *palazzo*. Comme le départ du lendemain se ferait à l'aube, elle présuma que Chibou, le lapin du jardin, ne serait pas réveillé de si bonne heure. Elle lui fit ses adieux et s'empressa de monter à l'appartement.

Elle trouva Paméla dans la pièce principale, en compagnie d'Anne. Cette dernière avait étalé toutes ses esquisses sur la table de la salle à manger. Elle faisait un tri, en mettait certaines de côté. Des dessins de puits, de terrasses sur les toits, de *palazzi*, puis de ponts que Poppy reconnaissait facilement grâce au talent d'Anne.

— *Il ponte* San Vio, *il ponte* Maria Callas près de La Fenice. Les deux ponts du ghetto, Vecchio et Novo, qu'on fermait la nuit pour empêcher les juifs de sortir du quartier et qu'on ouvrait à nouveau le matin pour les laisser aller à leur travail. Ah ! *Il ponte* delle Tette. Le pont des Tétons.

Poppy raconta qu'à une certaine époque, si la prostitution était tolérée à Venise, l'Église faisait tout pour empêcher l'homosexualité. On allait jusqu'à obliger les prostituées, sur l'ordre du Sénat, à se pencher par-dessus le pont ou à s'exhiber aux fenêtres voisines, les seins découverts, pour attirer les clients. Anne blagua en disant qu'elle n'aurait pas été d'une bien grande aide.

Puis Poppy resta longtemps devant un dessin, sans dire un mot. Elle cherchait le nom du pont illustré et n'arrivait pas à s'en souvenir. Elle se mit en colère. Comment pouvait-elle ne pas se rappeler ? Anne et Mathilde essayèrent de la calmer. Il était impossible à quiconque de se souvenir du nom de tous les ponts de Venise et des environs. Il y en avait près de quatre cent trente-cinq ! Mais Poppy s'obstinait. Elle allait trouver, elle connaissait le nom de ce pont. Il était dans un tiroir quelque part, mais elle ne savait pas lequel. Il allait bien finir par remonter à la surface. Elle continuait à fixer le dessin et cherchait encore et encore.

Mathilde tenta d'attirer son attention sur les esquisses suivantes. On y reconnaissait des terrasses où elles étaient allées, des édifices qu'elles avaient visités. Sur d'autres croquis, on reconnaissait Poppy et Mathilde, d'autres encore incluaient des étrangers. Il y avait même le portrait du comte, accoudé à sa terrasse, enveloppé dans son kimono de soie.

— Celui-là, j'aimerais bien le lui laisser, dit Anne à Mathilde.

Et elle ajouta qu'elle avait un cadeau pour elle. Elle sortit de sous la pile une esquisse d'assez grande dimension et la lui tendit.

Mathilde se pencha sur l'étude, rougit, puis sourit à Anne. Le dessin représentait un homme de petite taille appuyé sur un mur de pierres, une tasse de café à la main. Il était accompagné d'une femme qui ressemblait trait pour trait à Mathilde. Elle se tenait dans la même position que l'homme. Tous les deux regardaient vers une fenêtre grande ouverte.

— Je vous ai surpris un avant-midi que je venais dessiner la façade de l'école de musique, avoua Anne à Mathilde. Je suis restée en retrait, je ne voulais pas briser ce moment, et voilà le résultat. Je crois que ça vous représente bien tous les deux. Qu'est-ce que tu en dis?

Mathilde était émue aux larmes. Elle prit son amie dans ses bras et l'embrassa sur la joue.

— Tu ne pouvais pas me faire un plus beau cadeau.

— *Il ponte* dei Miracoli! Voilà. Je l'ai! Miracoli! s'écria Poppy, ravie d'avoir retrouvé le nom qu'elle cherchait. Le pont des Miracles!

Mathilde décida d'emporter son dessin dans sa chambre et de se mettre à l'aise. Anne et Poppy étaient encore en pyjama. Elle se déshabilla et enfila des vêtements confortables. En se tournant vers le lit, elle découvrit une enveloppe qu'on avait déposée sur son oreiller. Elle reconnut avec étonnement l'écriture fine de Poppy. Au moment où elle s'apprêtait à l'ouvrir, Anne et Poppy entrèrent dans sa chambre et lui annoncèrent qu'elles montaient chez Massimiliano pour lui apporter son dessin.

— Viens avec nous, lança Paméla. On pourra également le remercier pour les costumes qu'il a payés et pour le bal olé olé !

Mathilde se dit que c'était une bonne idée. Elle pourrait vérifier auprès de lui s'il avait bien fait l'appel pour le taxi du lendemain.

— En pyjama ? On va chez monsieur le comte en pyjama ?

Anne entraîna Mathilde en lui faisant remarquer que ce n'était sûrement pas le genre de détail qui devait le déranger, lui qui était, la plupart du temps, nu ou en petite tenue.

On installa Poppy dans la chaise-ascenseur et on monta, *piano piano*, tout en la surveillant. Massimiliano sembla ravi de les voir, et il fut enchanté et même très touché du dessin que lui offrit Anne. Il rassura Mathilde quant à la venue du chauffeur de taxi.

— Quelle idée de partir à l'aube ! s'exclama-t-il. Partir à l'aube, c'est partir comme des voleurs... Vous savez qu'on annonce une grosse *acqua alta*, demain ?

— Oui, je sais, lui dit Mathilde. C'est pour ça qu'on part tôt. C'est déjà assez difficile de quitter Venise...

— «On ne quitte pas Venise, on s'en arrache…» récita Massimiliano.

Ce à quoi rétorqua Poppy, pour terminer la citation de François Mauriac :

— «… un séjour à Venise, c'est une étreinte ! »

Puis, Massimiliano s'aperçut qu'il avait laissé les trois femmes sur le pas de la porte. Il les pria de l'excuser de son impolitesse et les fit entrer.

— On ne voudrait pas vous déranger, se reprocha à son tour Mathilde.

Le comte leur jura qu'il n'en était rien. En fait, il s'apprêtait à regarder pour la énième fois le film de Luchino Visconti *Mort à Venise*.

Les trois femmes s'exclamèrent en chœur d'une voix attendrie :

— Ah ! *Mort à Venise* !

— Vous connaissez le film ?

Elles répondirent toutes en même temps. Anne l'avait vu au moins à trois reprises, Mathilde cinq fois, et Paméla ne comptait plus les visionnements. Sans compter que Mathilde avait lu, à maintes reprises, la magnifique nouvelle de Thomas Mann qui inspira le cinéaste. Il leur proposa une séance cinéma avec lui.

— Voir *Mort à Venise* à Venise, c'est d'un chic !

— Encore plus si c'est en pyjama, ajouta Anne.

Avant de s'installer dans le petit salon qui servait de salle de télévision, Massimiliano leur proposa de faire le tour de l'appartement tandis qu'il allait vers la cuisine à la recherche de boissons et de grignotines pour se sustenter.

Lorsqu'il revint les bras chargés de victuailles, il les trouva en pâmoison devant l'immense fresque qui ornait le mur du grand salon.

— Cet *affresco* est là depuis mon enfance, souligna-t-il.

Dans ce tableau peint à même le mur, dont certaines couleurs avaient perdu leur éclat au fil des années, on voyait trois femmes. L'une d'entre elles, sorte de guerrière aux traits doux, tenait un bouclier. Une épée se trouvait à son flan, et elle était étendue sur un divan bleu. Elle semblait un peu lasse de sa dernière bataille. Tout près d'elle, une autre femme maintenait, au-dessus de la tête de la femme allongée, une couronne de laurier tandis qu'une troisième, de bleu vêtue, apportait un plateau de fruits.

Durant toutes les visites de galeries ou de musées que Mathilde, Anne et Poppy avaient faites durant leur voyage, elles avaient eu l'occasion de se reconnaître dans des tableaux, des dessins, des photos. Une sorte de jeu s'était alors établi entre elles. Chacune choisissait le personnage qu'elle croyait symboliser, et elles tombaient presque toujours d'accord. Il y avait toujours dans ces Vierges tenant un enfant, dans ces courtisanes offrant leurs trésors, dans ces femmes affairées à préparer ou à servir des victuailles, un attribut qui leur était propre. Ce *divertimento* avait été pour elles une façon de s'immiscer dans l'histoire de la Sérénissime, de faire partie de Venise, de se savoir représentées quelque part, de prouver, en quelque sorte, leur existence et leur passage dans cette ville.

Il y avait quelque chose de terriblement touchant dans cette fresque. Les trois femmes n'en finissaient plus d'admirer Poppy qui se reposait, Anne qui tenait son talent entre ses mains et Mathilde qui les ravitaillait.

Mathilde repensa au dernier roman d'Alessandro Baricco, qu'elle venait de terminer, dans lequel il disait que les humains ne sont pas que des personnages, mais des histoires. « Chacun de nous semble s'arrêter à l'idée qu'il est un personnage engagé dans l'aventure de sa vie, même très simple. » L'auteur répétait que nous devrions savoir que nous sommes toute l'histoire, et pas seulement ce personnage.

Les trois femmes pouvaient dorénavant quitter la ville nénuphar, rassurées. Elles existaient bel et bien ; on racontait leur histoire, elles étaient représentées de façon magnifique, quelque part sur le mur d'un *palazzo* à Venise.

40

L'après-midi *Mort à Venise* s'était étiré de belle façon. Le visionnement de ce film si fabuleux avait réjoui et fait pleurer tout le monde, le comte y compris. Mais celle qui demeurait inconsolable était Poppy. Elle ne pleurait pas uniquement sur le sort de ce compositeur en villégiature dans ce Grand Hôtel des Bains, troublé par un adolescent androgyne incarnant l'idéal de la beauté, qui mourait finalement sur la plage du Lido sans avoir osé parler à ce magnifique Tadzio. Non. Elle pleurait beaucoup plus que ça, et Mathilde ne le comprit vraiment que ce soir-là.

Après avoir bouclé les valises, les avoir descendues au rez-de-chaussée, après avoir mis la table en prévision du petit-déjeuner et après qu'Anne et Paméla se furent endormies, Mathilde était allée lire le mot que lui avait laissé Poppy, en toute intimité, dans la salle de bain.

Ma chère, très chère Mathilde,
Avant qu'il soit trop tard, avant que j'aie tout oublié
– parce que c'est bien cela qui m'arrive –, je voulais

te dire merci. Je sais, j'aurais dû t'en parler avant le départ. J'aurais dû t'avertir que les choses n'allaient pas si bien pour moi. Il faut que tu le saches, ou alors tu t'en es déjà rendu compte, je perds la boule. Je m'en vais lentement vers l'oubli, moi qui savais tant de choses. La vie est ainsi faite. Et on n'y peut rien. J'espère juste que, dans cette nouvelle aventure qui s'offre à moi et que je me vois contrainte d'accepter, je ne perdrai pas mon sens de l'humour. Il m'aidera à faire face.

Je voulais te dire toute la tendresse que j'ai pour toi, toute ma reconnaissance pour ce voyage. Cet ultime voyage à Venise où chaque jour, grâce à toi, je me suis de nouveau sentie formidablement vivante, incroyablement jeune et belle. C'est dans la Sérénissime que Poppy aura terminé sa vie. Le reste sera fait en pointillés. À certains moments, je serai de ce monde, à d'autres non. Il ne faudra pas m'en vouloir, je n'y serai pour rien. Il faudra uniquement te rappeler mes beaux jours. Sache que, quoi qu'il arrive, quelles que soient les apparences que prendra mon avenir, je ne t'oublierai pas. Tu resteras dans mon cœur, à défaut de ma tête, une magnifique femme avec qui j'aurai partagé le meilleur. Et je sais que, dorénavant, ce qui t'attend sera exceptionnel. Tu es venue noyer ta peine à Venise. Elle restera à tout jamais dans les eaux de la lagune.

Ton amie pour toujours,
Poppy

Mathilde avait pleuré à chaudes larmes. Elle s'était bien doutée, dans la dernière semaine surtout, que quelque chose n'allait pas. Mais, en fait, elle n'avait pas vraiment voulu le savoir. Elle souhaitait seulement que cette femme soit heureuse tout au long de ce voyage qui la rajeunissait de jour en jour. Mais peu importe ce qui adviendrait désormais, elle se fit la promesse qu'elle ne l'abandonnerait jamais.

Elle avait replié la lettre, l'avait insérée dans son enveloppe et l'avait rangée dans son sac de voyage. Puis, elle avait sorti de sa table de chevet le cadeau qu'elle destinait à ses amies. Sans faire de bruit, elle avait déposé dans leur sac à main respectif ce petit carton couleur crème, qu'elle avait fait fabriquer *tutto a mano* chez l'artisan imprimeur, Gianni Basso, et sur lequel était inscrit son nouveau destin. Puis elle était allée se coucher, espérant dormir quelques heures.

Au réveil, les choses s'étaient bousculées. Il faisait nuit noire, mais l'orage était dans l'air. Il pleuvait et ventait beaucoup. L'*acqua alta* n'allait pas tarder. Lorsqu'il fut l'heure de descendre pour attendre le taxi, la sonnerie qui avertissait les habitants de Venise que la marée montante était aux portes de la ville et serait importante retentit dans l'aube à peine naissante. Une fois arrivées à la porte où accostaient les bateaux, Mathilde, Anne et Poppy découvrirent que l'eau avait déjà envahi les marches du *palazzo*. Le *motoscafo*, bien que solidement amarré entre les *pali* rayés en bleu et blanc, tanguait dangereusement contre le quai. La montée à bord ne fut pas de tout repos. Comme il pleuvait abondamment, Anne et Mathilde installèrent Paméla à l'intérieur du bateau-taxi. Cette dernière somnolait encore. Les deux amies préféraient rester à l'extérieur malgré le mauvais temps. Elles étaient chaussées de leurs nouvelles bottes et portaient leurs cirés. Mathilde voulut éponger la pluie sur son visage et plongea la main dans sa poche à la recherche d'un mouchoir. Lorsqu'elle la retira, elle eut la surprise d'y trouver une poignée de copeaux de bois. Battista ! Des fragments de bonheur à humer quand la grisaille des jours l'envelopperait trop étroitement, atténuant, du même coup, le désir d'aimer à nouveau.

Il n'était pas question pour Mathilde de rater la vue du Grand Canal, même si le jour n'était pas levé. Tant de choses l'avaient émue, l'avaient bouleversée dans cette ville insensée. Jamais dans sa vie elle n'avait été autant chavirée. Elle voulait emporter avec elle le souvenir de chaque *ponte* ourlé de fer forgé, des dédales des *calli* qu'elle avait empruntées au hasard, de ces marbres tantôt lisses à force d'être usés par le passage du temps, tantôt érodés par les intempéries, du clapotis continuel de l'eau et maintenant de cette dernière *acqua alta*.

Mathilde chuchota à son amie retrouvée que, s'il pleuvait tant, c'était parce que Venise pleurait leur départ. Anne lui confia la chance qu'elle avait eue de renouer avec elle et l'informa qu'elle avait trouvé sa carte imprimée *tutto a mano*. Elle appréciait le joli dessin représentant deux ustensiles de cuisine côte à côte, et surtout l'inscription sous le nom de Mathilde Fitzgibbons : « chef à domicile ». Le nouveau métier que comptait pratiquer Mathilde dès son retour au Québec. Elle proposerait ses services aux personnes seules, aux personnes âgées entre autres.

— Je serai une de tes plus fidèles clientes. Je m'en lèche les babines à l'avance. Tu n'as pas fini de me faire grossir !

— Et moi, lui dit Mathilde, je ne raterai aucune de tes expositions.

Mathilde quittait Venise le cœur gros. Le bateau avançait tout doucement pour ne pas augmenter la montée des eaux, qui avaient envahi l'entrée des *palazzi*. Lorsque l'embarcation passa devant le marché du Rialto, les deux amies virent qu'un commerçant avait installé ses denrées, mais son comptoir ressemblait plus à une barque flottant sur un étang qu'à un étal de fruits et de légumes. Venise, enveloppée une fois de plus dans ses brumes, semblait glisser dans la lagune et s'enfoncer comme l'Atlantide. Un jour, elle disparaîtrait peut-être. En attendant, les yeux de Mathilde cherchaient dans la pénombre à retenir un détail, une ombre dessinée sur un mur de marbre, une petite lumière derrière un carreau. Elle prenait Venise une dernière fois dans ses bras pour lui dire *grazie mille*, pour lui murmurer *arrivederci*; mille mercis et au revoir, *amore mio*!

Mathilde admirait *un'ultima volta* cette ville si grandiose qui s'obstinait à tenir debout, malgré les années qui s'accumulaient, qui s'agrippait de toutes ses forces à travers les embruns et les intempéries, pour ne pas mourir de sitôt.

Elle sentit monter en elle la magnifique musique de Mahler tout au long de cette ultime traversée de la Sérénissime, comme elle l'avait reçue avec tant d'émotion dans le film de Visconti visionné la veille. « Moi aussi, j'ai eu ma petite mort à Venise, se dit Mathilde. Mais surtout, ma renaissance. »

Avant la Ca' Pesaro, le bateau-taxi délaissa le Grand Canal pour se faufiler dans le *rio* di Noale afin de se rendre dans la lagune. Il fallùt à maintes reprises, sur les recommandations du chauffeur, s'accroupir lorsque le bateau passait sous les ponts.

— *Non verrammo lasciarci la testa !* leur cria-t-il.

Anne demanda à Mathilde ce qu'il avait dit. Poppy, qui s'était rapprochée de la porte de la cabine, leur fit la traduction.

— Il a dit que ce serait dommage d'y laisser la tête.

Anne et Mathilde accusèrent le coup, mais Paméla ne sembla pas relever l'ironie de la situation.

Derrière ces trois femmes, il y avait une histoire d'amitié et d'amour avec une ville, la Sérénissime. Cette grande dame mystérieuse, étonnante, généreuse et sublime qu'on ne pouvait jamais vraiment quitter, qui leur avait révélé certains de ses secrets et qui les avait aussi amenées à se découvrir elles-mêmes. Cette cité sublime qui leur avait appris

durant ce mois de novembre à oublier les chagrins, à se tenir debout même quand montent les
eaux troubles, à résister à la grisaille et à l'usure
de la vie. C'était comme si la *Serenissima* leur disait
une dernière fois que, même sous une apparence
bancale, même rongée par le temps, défraîchie,
fatiguée par le poids des années, on peut garder
la tête haute et heureuse en conservant toute sa
splendeur, quoi qu'il arrive.

Devant Mathilde, Poppy et Anne se trouvaient
les pages d'une nouvelle vie à écrire au jour le jour
avec, pour toujours, Venise tatouée sur le cœur.

Venise, automne 2014 – Knowlton, été 2015

Remerciements

Tout d'abord, un grand merci à André Bastien, qui a accompagné mon écriture durant plus de quatorze ans et qui a eu la formidable idée de me confier aux bons soins de Marie-Eve Gélinas, en qui j'ai retrouvé toutes les qualités de son prédécesseur, et qui m'a tenu la main avec un enthousiasme indéfectible.

Merci à Maddia Esquerre qui a dessiné, à la manière d'Anne, l'illustration de la couverture.

Merci à Stéphan Laroche et à Daniela Renosto pour leurs précieux conseils, ainsi qu'à Anne de Vaucher Gravili, Vénitienne d'adoption, pour ses suggestions inspirantes.

Je voudrais remercier, tout particulièrement, un groupe de personnes exceptionnelles, sans qui je n'aurais pu effectuer à Venise toutes les recherches nécessaires à l'écriture de ce roman.

Claire Léger et Claude Dallaire, Jean-Pierre Léger, Michèle et Claude Fontaine, Gilles Ouellet, Hélène Harton, les trois fées de l'Agence Goodwin, Pierre-Jean Cuillerier et Carole Rioux, Pierre Lemoine, Michèle Fitzgibbons, Nicole

Fontaine, Francine Grégoire, Marie Gagné, Louise Laparé, Maxime Vandale et Richard Ouellet, Jean Chapdelaine, Jean-Jacques Dion, Jeanne Larocque et Michel Constantineau, Hugues Constantineau, ainsi que Louise Archer, Pierre Béland, Michel Beaudoin, Johanne Blais, Rita Benoit, Carmen Belzile, Robert Berger, Robert Bergeron, Denise Bilodeau, Ginette Breton, Michelle Brouillette, Laïla Canan, Mérédith Caron, Lise Champagne, Karine Charrette, Estelle Comeau, Marie-France Corbeil, Aline Crète, Danielle Delisle, Janine Dè Cacqueray, Robert De Gols, Colette Drapeau, Dominique Dubé, Nancia Faure, Louise Gannon, Raymonde Giguère, André Guimond, Françoise et Catherine Kaden, Maryse et Henri Esquerre, Michèle Hamel, Louise Jokisch, Henri Laban, Gachu et Eugény Laborde, Julie Labonté, Lucette Lamontagne, Jacques Lamontagne, Georgette Lavertu Gauthier, Thérèse Mac Duff, Pierre Marchand, Michel Miron, Diane Miljours, Susan Nixon, Micheline Olivier, Nicole Paquet, Jocelyne Pelletier, Dominique Poirier, Francine Pinard, Yolande Poirier, Richard Rouleau, Nicole Royer, Anne P. Royer, Andrée Ruel, Claudine Ruel, Ginette Sasseville, Marie-Josée Stromei, Pierre Tessier, Céline et Jean-Guy Tessier, Francine Thétrault, Marie-Hélène Tremblay, Hélène Trudel, Louise Villeneuve.

Suivez les Éditions Libre Expression sur le Web :
www.edlibreexpression.com

Cet ouvrage a été composé en ITC New Baskerville 12,25/15
et achevé d'imprimer en septembre 2015 sur les presses
de Marquis imprimeur, Québec, Canada.

certifié | procédé sans chlore | 100 % post-consommation | archives permanentes | énergie biogaz

Imprimé sur du papier 100 % postconsommation,
traité sans chlore, accrédité Éco-Logo et fait à partir de biogaz.